殉　死

司馬遼太郎

文藝春秋

目次

殉死

I 要塞

一

麻布《あざぶ》に、日《ひ》ケ窪《くぼ》という町名があった。窪地になっている。旧都電材木町でおりてこのあたりまで歩くと、まわりの三方が高く、このあたりだけが大きく窪み、陽が射しにくい地形であることがわかる。いまも樹木が多いが、江戸のころはとくに樹木が鬱然《うつぜん》と地をおおい、晴れた日でも地面が黒く湿っていた。そういうところから、日ケ窪といういかにも叙景的な地名ができたのであろう。

港区麻布北日ケ窪町の低湿地には、江戸のころ、長州毛利家の支藩「長府《ちょうふ》毛利家」の上《かみ》屋敷があった。陣屋は長州長府（山口県下関市）にあり、お高は五万石である。

大名屋敷としては、駿河台あたりの高燥地に屋敷をもつのとはちがい、ずいぶん居住条件がよくなかったであろう。江戸切絵図をみると、まわりには小笠原近江守、内田主殿頭《とのものかみ》、御書院番組組屋敷などがあるが、この長府毛利家の藩邸がとくに低く、すりばちの底のようなところにある。

いまの地理関係からいえば西に崖があり、その上に教育テレビ（NET）の社屋があり、長府毛利家の藩邸はその崖下の蔭に入りこんでいる。この位置ではわずかに午前中、東からの陽ざしを受けるだけであろう。その場所はいまは小公園になっており、公園の中に、明治の軍人である乃木希典《のぎまれすけ》がここ（藩邸お長屋）にうまれた、という旨の小さな碑が立っている。通りがかりにそれを見つけた筆者には、その碑のある風景がひどく陰鬱なようにおもえた。乃木希典という、生涯洞窟のなかで灯をともしていたような、そういう数奇なにおいの人物のうまれそうなところであるようにおもえた。

話がとぶが、この場所に、——たしか碑こそ立っていないが——ちょうどこの場所で、この軍人よりも百五十年ばかり以前、元禄十六年、いわゆる赤穂浪士のうち、武林唯七、間《はざま》新六、岡島八十《やそ》右衛門ら十人が死を賜わっている。

話がさらにとびとびになるが、いわゆる赤穂浪士というのは討入りのあと、幕命によって、その身柄を四家にあずけられた。細川家、松平家、水野家、そしてこの長府毛利家である。細川家などは忠義義胆の士としてかれらを篤《あつ》く礼遇し、その礼遇ぶりは江戸中がほめそやすほどの美談になり、そのことは講釈だねのなかでももっともよろこばれるくだりの一つになっている。が、長府毛利家が最も冷遇した。長府毛利家は武林唯七ら十人を藩邸の長屋に押しこめ、そのうえ、長屋の往来に面した窓に板をうちつけ、窓をつぶし、文字どおり罪人のあつかいをした。この冷遇が江戸中の評判になり、町人たちの非難をあび、のちややその待遇をあらためた。それもこれもべつに底意があってのことではなく、この藩が幕府の威権をおそれ、幕命を忠実に解釈してのことにすぎず、あとになってその監禁の度あいをゆるめたのも、幕府が存外この浪士たちに好意をもっているということを知ったからにすぎない。

要するに乃木希典がうまれて十歳まで育ったお長屋に、武林唯七らが起居していたのである。希典はこの死士たちの最後の日常などを、藩邸の伝承としてきかされつつ育ったにちがいない。武林唯七の詩も読まされたであろう。唯七は帰化人の孫である。その祖父は中国杭州府武林《ぶりん》の人で、秀吉の朝鮮ノ役で捕虜になり、日本に移住した。その子は浅野家の医官になり、唯七を生む。唯七は元禄のころの下級武士としてはめずらしく詩に長じた。その韻律《いんりつ》が日本人離れしたほどに自然だったのは家伝として中国音を知っていたからにちがいない。

三十年来一夢ノ中
生ヲ捨テ義ヲ取ル幾人《いくひと》カ同ジキ
家郷病《やまい》ニ臥《ふ》シテ双親《そうしん》アリ
膝下歓《かん》ヲ奉ジテ恨ムラクハ終ラザルコトヲ

と、これは武林唯七の辞世の詩である。病床にいる両親に先立たねばならぬ哀しみを、「恨むらくは」とのべている。唯七は他の九人の同志とともにこの藩邸の広庭で切腹した。

切腹にあたって、話がある。元禄のころの長府毛利家は士風がよほどおとろえていたのか、江戸詰めで剣を使える者がすくなく、浪士の切腹にあたってそれを介錯《かいしやく》——首を落す——ことができる者はわずか五人しかいなかった。唯七は切腹の座につき、長府毛利家の家士榊正右衛門の介錯をうけた。榊は唯七の背後にまわり、唯七が腹に短刀を突き入れるや、あわただしく太刀をふりおろした。しかし太刀は唯七の頭蓋の下辺に激しくあたったのみで刃が跳《は》ねかえり、落せなかった。唯七は前へ倒れ、しかし起きあがり、血みどろのまま姿勢を正し、「お静かに」と、榊に注意した。二度目の太刀で唯七の首が落ちた。

そういうはなし――唯七の詩や、その劇的な行動と最期を、唯七が起居したその長屋とおなじ長屋にうまれ育った乃木希典はきいていたにちがいない。子供ごころにその切腹の光景の酷《むご》さを極彩色に想像しつつ戦慄したかもしれないし、同時にこの詩人としての感受性をもっていた少年は、そういう最期を人としてもっとも美しいものとして思ったにちがいない。さらに連想はとぶが、乃木希典は軍事技術者としてほとんど無能にちかかったとはいえ、詩人としては第一級の才能にめぐまれていた。その中国音の韻律のうつくしさと正しさは、「古来、日本人としてはまれではないか」と、中国人でさえほめている。そのことも武林唯七とつながりがある、といえばこれはどうであろう。こじつけに過ぎるだろうか。

筆者はある年の夏の日、右の教育テレビの崖下を通過し、同行している友人のN氏に教えられ、陸軍大将伯爵《はくしやく》乃木希典という明治の軍人のうまれた土地がそこであることを知り、この将軍についてわずかな感慨をもった。

じつはわずかでしかない。

筆者はこの大戦の戦後に成人した世代ではなく、大戦の末期に兵隊にとられた世代に属している。当然ながら少年のころ、乃木大将と露将ステッセルが水師営において会見した、その情景をうたった小学唱歌をうたわされ、その唱歌をきけば、いまも少年のころの澄明な、そうとしか言いようのない感傷がよみがえってくる。「尋常小学国語読本」巻十の第十五章、題は「水師営の会見」である。

一、旅順開城約《やく》成りて　敵の将軍ステッセル
　乃木大将と会見の　所はいづこ水師営
二、庭に一本棗《ひともとなつめ》の木　弾丸あとも著《いち》じるく
　崩れ残れる民屋に　今ぞ相見る二将軍
三、…………
四、昨日の敵は今日の友　語る言葉も打ちとけて
　我はたたへつ彼の防備　かれはたたへつ我が武勇

が、この唱歌に出てくる筆者の乃木将軍への関心は、少年のころの感傷以上には成長しなかった。筆者はいわゆる乃木ファンではない。

しかしながら大正期の文士がひどく毛嫌いしたような、あのような積極的な嫌悪

もない。ただこのひとが自分の伯父かなにかであれば、閉口してその家は敬遠したにちがいない。もし、無人島にこのひとと二人きりで流されるとすれば――いや、どうもこの想像は趣味がよくない。

関心が薄かったとはいえ、ただ筆者が軍隊にとられ、満州にゆき、旅順の戦跡のそばを通ったとき、「爾霊山《にれいさん》（二〇三高地）には砂礫《されき》にまじっていまも無数の白骨の破片がおちている」とか、雨がふれば人のあぶらが浮かんでは流れる、といったような、いわば観光案内ふうの話をきかされ、そのとき、子供のころから持ちつづけてきた多少の疑問をあらためて感じた。なぜ、これだけの大要塞の攻撃にこのひとのような無能な軍人をさしむけたのか、ということである。むろん、これは――この疑問は乃木希典そのひとの問題とはなんのかかわりもない――この乃木希典もまた、その意味では犠牲者なのだが。

以下、筆者はこの書きものを、小説として書くのではなく小説以前の、いわば自分自身の思考をたしかめてみるといったふうの、そういうつもりで書く。つまり前記の例でいえば武林唯七の切腹の場についての想像が、少年の乃木希典の心にどういう刻まれかたをしたかということを筆者において深く考えもせず、筆者自身の思考材料として書いた。そういうふうに以下のことどもを書く。筆者自身のための覚えがきとして、受けとってもらえればありがたい。

二

乃木希典の年譜のおもしろさは、明治四年、二十三歳でいきなり陸軍少佐に任ぜられていることである。

それ以前の兵歴はさほどではない。幕末、長州藩が支藩をふくめて幕府と決戦態勢をとったとき、希典も十八歳ながら藩兵の一人として豊前《ぶぜん》（大分県）に出戦したが、その間《かん》負傷し、負傷後本藩にもどって明倫館文学寮に入った。このころ希典はすでに自分の詩人的体質に気づいていたため、武人より詩文の道を志したかったらしい。右、幕末におけるかれの兵歴はわずか半年である。

戊辰《ぼしん》の騒乱がおわり、薩長が維新政府を樹立し、いわゆる「天下」をとった。このとき希典は国もとの藩校で読書掛をしていたが、従兄《いとこ》の御堀《みほり》耕助（旧名太田市之進・長州報国《御楯《みたて》》隊総督）がしきりに新政府の軍人になることをすすめたため、その気になった。その後おそらく御堀がお膳立てをしたのであろう、希典は藩命によって伏見の御親兵兵営に入り、はじめてフランス式教練をうけた。スナイドル銃をかついで徒歩で行進する仕方から教わったが、教育といってもその程度の内容しかうけず、入営一カ月後に藩――まだ藩体制は残っている――の事情で退営し、長州へもどされた。翌年、ふたたび入営し、このとき五カ月在営していたが、また事情あって帰藩した。前後あわせて六カ月の洋式軍事教育をうけたのが、この明治の将星の年譜における唯一の軍事学校の学歴である。

が、乃木希典だけが異例だったわけではなく、陸軍士官学校創設以前のことであり、他の者もこれとよく似た経歴でしかない。

この経歴のまま藩地で日を送っていると、同経歴の者が東京によび出され、陸軍少尉や中尉に任ぜられたが、希典のもとにはなんの沙汰もなかった。

「乃木は軍人として不出来だったのではないか」

と、国許《くにもと》ではうわさする者があり、希典もこの期間鬱々としていたらしい。明治四年のはじめのころである。

ただし、この時期におけるこの若者の筋目ほど時勢の輝きを反射していたものはない。第一にかれは長州人であることであった。

ついでその長州人のなかでも最も勢いのあった故吉田松陰門下閥の末席に系譜づけられている。松陰の師匠で叔父にあたる玉木文之進は、乃木家にとっても濃い縁族になる。希典は松陰の死の当時は十一歳でしかなかったが、その後十六歳で萩の玉木文之進の内弟子になったため松陰死後の相弟子《あいでし》といえるであろう。この明治の主動勢力のなかにおける筋目のよさは無類といっていい。

そのうえ、長州報国(御楯)隊総督で、維新前後藩の参政になり、木戸、広沢とともに長州政界の三巨頭のひとりであった御堀耕助のいとこであることも大きいであろう。希典はしかもこの御堀から大いに愛された。御堀は維新後ほどなく結核を病み、三田尻で療養し、明治四年、その功業なかばで病死するが、その死の前、希典はその病床を訪ねた。病床の御堀はよろこんだ。この時期、前述のように希典は長府で日を送っており、御堀はそのことが気になっていたのであろう。

たまたま希典が見舞いに行ったこの日、薩摩藩出身の大官である黒田清隆も見舞いにきていた。黒田は戊辰戦争で政戦両面で活躍したため、陸軍に対する発言力がつよかった。この日、黒田は横浜の英国人に仕立てさせたフロック・コートを着用していた。

このとき、御堀は二十三歳の希典を紹介し、

「陸軍に入れてやってくれ」

とたのんだ。黒田は快諾した。薩人はゆらい然諾《ぜんだく》を重んずる風《ふう》があり、その後ほどなく——同年五月十三日——御堀耕助は病没したとはいえ、黒田はこのときの約束をわすれなかった。

御堀の死後ほどなく東京から内命があり、希典は上京し、十一月二十二日黒田清隆の私邸によばれ、

——おはんは、あすから陸軍少佐である。

といわれた。事実、その翌日に任命があった。希典は晩年にいたっても、

「わしの生涯でこの日ほどうれしかったことはない。明治四年十一月二十三日という日はいまでも暗記している」

と、しばしばいったという。諸事容儀のすきな希典はこの日を予想し、すでに陸軍少佐の軍服だけはあつらえており、任命のその日にもうそれを着用して記念写真をとり、さらに町を歩いた。写真ができあがると築地にいた同藩の親友桂静一をたずね、その陸軍少佐の写真を贈り、桂をつれて料理屋をおごった。

東京での寄留所は、旧旗本屋敷に住んでいるいとこの太田左門宅であった。左門

も藩閥のおかげで侍従になっている。右の経緯《けいい》を考えてみると、乃木希典がもし会津藩かそれ以外の藩にうまれていれば維新の変動のために無名の生涯を送ったにちがいない。この年、満年齢でいえば二十二歳である。

ほどもなく明治七年、休職を命ぜられ、帰郷した。休職の理由はよくわからない。休職して四カ月経つと、ふたたび現役にもどされ、陸軍卿付になった。陸軍卿は長州藩閥の巨魁山県有朋《きよかいやまがたありとも》である。希典の役目は副官（当時の呼称では、伝令使）であった。副官とは、上官の公務上の身辺の処理をする役であり、秘書役とでもいうべきであろう。この点、希典はその好む好まぬは別にせよ、藩閥の寵児《ちようじ》であったといえる。

この時期、政府は東京市街地を欧化するため、銀座に官設の西洋館を多く建て、それを月賦で払いさげた。乃木少佐は京橋鎗屋町《やりやちよう》六番地にあるそのうちの煉瓦造り二階建の一棟《むね》を買い、ここに父母弟妹とともに住んだ。月賦は十六円である。この家屋は当時の感覚ではよほど豪華であったであろう。

明治八年、熊本鎮台歩兵第十四連隊（小倉）の連隊長心得に任命され、赴任した。二年ののち西南ノ役がおこり、「歩兵第十四連隊ハ直チニ熊本ニ入城スベシ」という鎮台司令官少将谷干城《たてき》の命を受け、小倉を出発し、久留米へ出、筑後平野を南下した。ただし兵器受領の都合で、乃木はとりあえずそのうちの一部をひきいていたにすぎない。

敵——薩軍は熊本城を包囲していたが、官軍の新手《あらて》の南下をみてそれを迎え撃つべくいそぎ陣地を変更した。乃木少佐は植木方面でこの敵と遭遇し、激戦になった。兵力は乃木隊が四百余人、薩軍の支隊とほぼ同勢であった。昼間は官軍の銃器の性能が優越しているため戦況はほぼ互角であったが、夜に入り、薩軍の抜刀による夜襲に抗しきれず乃木隊は算を乱して退却した。途中、乃木は他方面にいるかれの配下の一個大隊（吉松隊）を植木の西方の千本桜に向わしめるべく、隊をはなれ、みずから伝令になって走った。一人である。連隊長みずから隊をすてて伝令になるというのは、日本式指揮法にも洋式指揮法にもない。指揮技術に習熟しなかったためか、敗戦で動転したのか、それともそばに兵がいなかったのか、どうであろう。それにどういうわけか、乃木は連隊旗手の河原林少尉以下わずか十名を最前線に置き残した。このため敵前で孤隊になった河原林少尉以下十名は当然敵襲をうけ、河原林は戦死した。このとき軍旗をうばわれた。

翌日、ふたたび戦って退却し、のち六日目に左足に負傷し、久留米の野戦病院に後送され、その隊は他の者の指揮下に組み入れられた。敗走と負傷とそして軍旗をうばわれるという三つの不幸がかさなるというのはよほどの運のなさといっていい。

少佐乃木希典の戦闘指揮ぶりは、いまではその程度しか跡づけられない。ただ戦闘の型としては単純な遭遇戦にすぎず、しかも敵味方同数であった。であるのにさんざんに敗けたというのは、軍隊の通念からいえば指揮官の指揮能力があるかないかに帰せられねばならないであろう。しかし乃木にとって不幸であったのは、この場合の大部分の原因は乃木指揮下の新政府兵は徴兵令によって徴兵した兵で、江戸時代でいう百姓町人の兵であり、かれらは士族隊である薩軍に最初から恐怖をもっており、いわば弱兵であることであった。かれら兵隊たちはなるほど一年間の訓練はうけていたが、戦闘がいざ白兵戦になるとどうにもならず、算を乱して退却するよりほかなかった。しかも薩軍は武士として日本最強という定評があり、この点では新政府の首脳たちが開戦の最初から心配していたところであった。決して乃木の罪ではない、と本営の首脳部も考え、そのあたりを斟酌《しんしやく》した。ひとつには長州軍閥は自分の身内の長州人に対して当然ながら寛大であったということもあるであろう。それに乃木の敗戦についての自責がすさまじく、久留米の野戦病院から脱走してふたたび戦線に加わったという、そういう悲痛な狂躁《きようそう》ぶりも軍首脳に好感をもたせた。この野戦病院では、乃木は一詩を作った。

身、傷ツイテ死セズ、却《かえっ》テ天ヲ怨《うら》ム
嗟吾《ああわが》薄命ヤ誰トトモニ語ラン

という詩句があり、この詩は同室の将校や医官が披見《ひけん》している。乃木希典は本来が実務家よりも詩人であるために、つねに自分を悲壮美のなかに置き、劇中の人として見ることができた。自分の不運に自分自身が感動できるというのは、どういう体質であろう。

さらに乃木希典をいっそうに悲痛にしたのは、軍旗をうばわれたことであった。薩軍はそれを陣頭にかざして官軍に見せびらかした。このため乃木は死を冀《こいねが》い、戦場ではしばしば危地に立とうとし、それが熊本鎮台の高級将校のあいだで評判になった。薩軍が熊本からひきあげたあと、熊本城に入った乃木にはひどく思いつめた様子があり、たれの目にも自殺の危惧《きぐ》があったために、同郷の少佐児玉源太郎がしきりに説諭し、監視し、ついには監視しやすいように児玉が上申して鎮台司令部付の参謀にした。この陣中で、この失敗があるにもかかわらず乃木は中佐に進級した。

乃木は、この軍旗事件について参軍《さんぐん》の山県有朋中将あてに待罪書を送り、進退を伺っている。が、折りかえし山県から返書があり、軍旗のことは「急迫ノ際、ヤムヲ得ザル場合ナレバ」ということで不問に付せられることになった。やがて軍旗は新調され、小倉連隊に下賜され、問題はそれでおわった。

しかし乃木希典の道徳的苦痛はそれで了《おわ》らず、薩軍が去ったあと、熊本城内で参謀の身でありながら行方不明になることが三日つづいた。兵が手分けしてさがし、三日目に山王山《さんのう》の山奥で断食している現場を発見され、連れもどされた。よほど神経が耗弱《こうじゃく》していたのであろうか。

この時期まで無名の将校であったにすぎない乃木希典は、軍旗事件でその名が世間に知られ、その自責は軍当局から逆に好意をもたれた。

余談だが、この時期、一般の感覚としては——山県有朋でさえ——軍旗はさほど尊貴なものとはしていなかったであろう。第二次大戦での降伏によって日本陸軍は終焉《しゅうえん》したが、いわゆる帝国陸軍の特徴のひとつは軍旗を異常に神聖視し、あたかもそこに天皇の神聖霊が宿っているがごとくあつかったことであった。この精神的慣習はおそらく乃木希典から始まったであろう。明治十年、それを敵にうばわれたがために連隊長が自分の生命を消すことによって詫びようとした、ということで、世間も軍も、その尊貴さを発見した。同時に——話は別だが——この事件は、乃木希典自身の歴史にとっても重要であった。かれはこれ以前にはごく普通の快活な、人並み以上に派手ごのみの軍人であったにすぎず、後年の精神主義者としての形相《ぎようそう》はすくなくともその行跡からは片鱗もみられなかった。が、これ以後、あきらかに変化している。その面貌に陰鬱さが加わり、その骨相上の固有の特徴である泣きっ面がこの時期からめだちはじめ、しばしば大酒をし、酒を飲むとかならず荒れ、常住、なにか痛刻なものを宿している様子の人物になった。それまでかれ自身のなかで背を跼《かが》めていた精神家が、このあたりから顔をもたげたようにおもわれる。

「旧藩主」

という言葉をきらうようになったのも、このあたりの時期からであるようであった。この当時、官員たちのつかうことばのなかで旧藩主という言葉がしばしば出、武官や文官はなにかあると、旧藩主のお屋敷に伺候し、なお臣下の礼をとっている。乃木は露骨にそれをきらい、主君は天子様しかおわさぬはずである、と、子供っぽいほどのむきな語気でいった。乃木にとって軍旗をうしなったことは天子への罪でありその罪をつねに意識しつづけることによって、ちょうど封建時代の殿様と家来の関係のような、そういう直接的な手ざわりで天皇の存在を意識し、意識するだけでなく体のなかで感ずるようになったのであろう。他の日本人にとっては天子は明治政府の教えるがごとく生神さまであり、多分に観念のなかでの存在であったが、乃木希典のばあいはひどく肉体感のある君主であった。その明治帝が崩《ほう》じたとき、乃木希典がちょうど封建武士が殿様に殉死するような、そういう肉体的な親《ちか》さを感じさせる自然さで殉死したのは、やはりこの軍旗事件における自責の念から育って行った感情であるにちがいない。

その感情は、後になるに従って明治帝にも自然通じてゆき、明治帝にとっても乃木希典がまるで鎌倉時代の郎党であるかのような、そういう実感をもつようになり、そのことが乃木にも伝わり、乃木を感動させ、かれをして近代日本のなかでは稀有《けう》といっていい古典的忠臣にしていった。明治帝は軍旗事件から二十五年を経た明治三十五年の陸軍秋季大演習のために九州にくだられたとき、西南ノ役の激戦地である田原坂《たばるざか》を通過し、

もののふの攻め戦ひし田原坂
松も老木《おいき》になりにけるかな

という即興の御歌を詠まれたことは、よく知られている。帝はその御歌を主馬頭《しゆめのかみ》

藤波言忠《ことただ》に筆写させ、

「この歌は、乃木にあたえよ」

と、命じられた。この君臣には、他の将軍との関係にはないそういう感情が交流していた。やはりその感情の出発は軍旗事件であったであろう。

この軍旗事件は、もし他のべつな士官の身の上におこっていたならば、自責の結果、この惨酷なばかりに不名誉な過失を契機に、あるいはちがった発奮をするかもしれない。たとえば敗北を苦にし、ふたたび右のようにならぬよう自分の近代的軍事技術を磨こうとするかもしれない。しかし乃木は――これは彼の特質であるであろう――精神主義のほうへ行った。精神主義は多くは無能な者の隠れ蓑《みの》であることが多いが、乃木希典のばあいにはそういう作為はない。しかしながら歴史の高みからみれば、結果としてはそれと多少似たものになっている。

西南ノ役がおわってから、かれは東京によびかえされ、歩兵第一連隊長に補《ほ》せられた。栄進であった。

これよりすこしあと、熊本鎮台で同僚だった児玉源太郎もよびかえされ、下総《しもうさ》(千葉県)佐倉の歩兵第二連隊長に補せられた。児玉は長州毛利家の分家である徳山毛利藩の旧藩士であり、乃木希典とおなじ長州人ながらも維新の直後には藩閥の恩恵をうけることが薄く、戊辰ノ役に秋田、函館へ転戦したあと、東京でフランス式教練をうけ、そのあと乃木のばあいとはちがい、下士官の最下級である伍長になった。伍長から始め、曹長になり、とにかく下士官を四年もやらされた。乃木が少佐で出発した明治四年、この稀代《きたい》の戦術家といわれた男はようやく少尉に任官していたにすぎない。しかしその後大いにその才幹をみとめられ、累進《るいしん》して明治七年には早くも少佐になり、西南ノ役では熊本鎮台の参謀として作戦のほとんどを立案した。背が五尺そこそこしかないが、快活で機敏で、しかも二六時中喋《しゃべ》りつづけている饒舌家《じょうぜつか》であり、真夏など、裸で縁台に涼んでいればどうみても俥《くるま》ひき程度にしかみえない。

この児玉源太郎と乃木希典がおなじ東京鎮台隷下《れいか》の第二、第一連隊長であったとき、習志野で両連隊の対抗演習がおこなわれた。

演習がはじまるや、児玉は乃木の第一連隊の展開の様子からみて両翼攻撃の意図をもっていると判断し、そう見抜くや連隊を軽快に運動させて隊形を縦隊に変え、縦隊のまま、いままさに両手をひろげたように展開を完了した乃木連隊の中央を突破して分断し、包囲し、大いに破った。児玉は馬をすすめつつ、

「乃木はいくさが下手だ」

と、首すじの蚊をたたきながら大笑いしたという。児玉のいうように、乃木希典の戦歴には、演習までもふくめて勝つということがすくない。

しかしながらこの時期から数年間の乃木希典の性行は、後年のそれとはまるで別人ではないかとおもわれるほどにちがっている。

酒と料亭は、依然としてかれの日常と不可分であった。三十で妻静子を娶《めと》ったが、これは熄《や》まらない。「乃木の豪遊」といわれた。柳橋、両国、築地の料亭で毎日のようにあそび、素面《しらふ》で帰宅することがまれであった。この素行をもって、後年の精神家である乃木希典像から帰納し、軍旗事件の責任を痛感しての自暴自棄の酒である、と普通、言う。しかしそういう性質の酒が、長期間――このさき九年もつづくのだが――つづくであろうか。この茶屋酒は単に嗜好《しこう》の問題であろう。それに軍人と茶屋酒は建軍以来、陸軍がほろびるまでのかれらの職業的習慣であり、乃木希典だけのものではない。乃木中佐（少将までの期間だが）の場合、それが度はずれであったというだけにすぎないかもしれない。かれが連隊長をしている東京の歩兵第一連隊は、将校団の定例宴会が、毎月この種の料亭でおこなわれた。柳橋、両国、築地などの料亭が、あらそってその席を提供した。軍人はこの種の世界では上得意のほうであったであろう。その月例宴会では連隊長乃木中佐は、かならず芋掘り踊りを演じてみせた。ときに泥酔し、軍医と取っ組みあいの喧嘩をしたこともあった。調度がこわれ、あとでその損害を弁償せざるをえないほどに狂酔したこともあった。この間《かん》、夫人静子は二児をつれて別居したこともある。その一因は、右の乱酒にある。

が、のち、日清戦争後、乃木希典は、「軍人はかくありたきものなり」という題の寄稿文において、

「我国ノ宴会ナルモノニ至ツテハ歎息スベキコト、又言フニ忍ビザルコト、多々《たた》ナリ」

と書き、自分があれほど好んだ茶屋酒をもって醜俗である、ときめつける軍人になっている。

三

その年譜によると、

明治十八年、三十七歳、五月二十一日、陸軍少将に任じ、歩兵第十一旅団（熊本）旅団長に補《ほ》せらる。

明治十九年、三十八歳、十一月三十日、独逸《ドイツ》国留学をおせつけらる（留学予定は満一カ年）。

とある。このドイツ留学の結果が、少将乃木希典の性行、容儀、嗜好、日常習慣、といったものをすべて一変させた。大げさにいえば、倫理性が一変した。人間を倫理的存在としてみる古い時代の哲学者の定義を借りるとすれば、乃木希典は別人になって帰朝したといっていい。そういう人間現象がありうるものかと疑う者があれば、われわれは乃木希典を実例に出さねばならないであろう。帰朝後の乃木希典は、その死にいたるまで、それ以前のかれとは別人である。

同じ長州軍閥の陸軍大将田中義一は、昭和三年四月九日付「東京朝日新聞」に、

「乃木将軍は若い時代は陸軍きってのハイカラであった。着物でも紬《つむぎ》のそろいで、角帯を締め、ゾロリとした風で、あれでも軍人か、といわれたものだ。ところが独逸留学から帰ってきた将軍は、友人が心配したとは反対に恐しく蛮カラになって、着物も、愛玩の煙草入れも、みな人にくれてしまって、内でも外でも軍服を押し通すという変り方である。それがあまりひどいのでその理由をきくと、感ずるところあり――というのみでどうしてもいわなかった。いまも知人仲間の謎になっている」

と、語っている。

留学の命令は、秋がおわるころに出た。同行者は、陸軍少将川上操六である。

川上操六は薩摩出身で、維新後中尉に任官し、累進した。川上は児玉とならんで陸軍草創期における天才的戦術家とされ、日清戦争前後までの日本陸軍の兵制、戦

略戦術は多くはこの人物から出たといっていい。山県ら陸軍の巨頭たちも川上の智《ち》囊《のう》を育てることによって明治二十年代以後の陸軍の推進体にしようとしていた。

川上はすでに前々年度に外遊しているが、こんどふたたび独逸留学を命ぜられた。その目的は独逸陸軍の兵制と軍隊運用の実際を見るためであり、その結果は、仏式から独逸式に転換しつつある日本陸軍に大きく資するところがあるであろう。

「乃木が選ばれたとは、いったいどういうわけだろう」

と、陸軍部内でも不審におもう声が多かった。かれらが独逸でやらねばならぬことは、世界的戦術家とされる参謀総長モルトケに師事し、その推薦による参謀に直接の教授をうけることであった。そういう役割を、乃木が果たせるであろうかという疑懼《ぎく》が、当然あった。乃木が川上とともにえらばれた理由のひとつは、薩の川上に長の乃木という両閥の平衡をとるためである、という見方もあったというが、よくわからない。ひとつには乃木希典ほどの級の陸軍武官はすべて外遊しており、それよりも若い級はたとえ外遊をしていなくても正規の士官学校、陸軍大学校課程を経ている。乃木希典は軍人として正規教育をほとんど受けておらず、留学もしたことがなく、かれが持っている免許状といえば、二十歳のときに藩の栗栖又助から貰った一刀流の目録だけであった。乃木をこの機会に外遊させてやろうというのが上層部の親切であったのかもしれない。

ベルリンでは、国会議事堂の近くに宿舎をとり、すぐモルトケに面会をもとめた。この当時、この独逸帝国の参謀総長はすでに八十八歳の老齢になっていた。

「留学の目的は、戦術でござる」

と、モルトケの前で、乃木希典はいんぎんにいった。それを通訳として同行した楠瀬幸彦大尉が、フランス語に訳した。そのフランス語を、先方の副官が独逸語に訳し、モルトケに伝えた。やっとモルトケは微笑した。乃木はこのモルトケを、西洋の武士の代表的人格とみた。

この当時、日本陸軍は旧幕時代から永く仏式をとっていたため独逸語を話せる者がおらず、その点が不自由であった。

「たれか、適当な教師を選んでやろう」

とモルトケがいったが、当方の言語事情が右のようであるため、とくにフランス語の出来る参謀将校であればありがたい、という旨のことを申し出ると、モルトケは無言でうなずき、デュフェという大尉を両人の付属教官としてえらんでくれた。教授する場所は、両人の宿舎である。内容は戦術であった。課程は一年間である。

講義は毎日午前中におこない、午後はデュフェが出題する練習問題の答案を書かねばならない。それを毎回、その翌朝にみせる。

講義内容は、独逸式作戦要務令を基礎とした一般戦術、初等戦術、大兵団の図上戦術などあった。午後になればそれに関して出題をする。この答案を、川上操六はとにかく、乃木希典がどの程度書きえたか、それを知ろうにもどういう資料も残っていない。ただ、嘉永二年うまれの満三十八にもなった初老ちかい生理条件でこの知的訓練をうけるのはつらかったであろう。

ただ、戦術にはＥＴＡＰＰＥ（兵站《へいたん》）の問題が出てくる。食糧、弾薬、器材の輸送と集積のことである。日本陸軍はこのことばの意味を創設以来知らなかった。なぜならば日本戦史における戦争はつねに国内戦であり、戦線を遠隔地に持つということがなく、わが国の天才たち――上杉謙信も、武田信玄も織田信長も、兵站を配慮する必要がなく、その言葉も日本語になかった。かろうじていえば荷駄（近代軍隊における大行李、小行李）だが、それは兵站の一部にすぎない。日本戦史上、兵站を配慮したのは豊臣秀吉における九州征伐と朝鮮ノ陣の場合のみであり、この場合はおそらく同時代のヨーロッパ以上に兵站計画が緻密《ちみつ》で、規模も大きかった。しかしこれが唯一の例にすぎない。

「一個師団を日本から大陸に派遣するとしてその兵站はどうするか」

という意味の応用問題も、当然デュフェは出したであろう。その言葉の意味は、この前々年、日本陸軍が陸軍大学校開設にあたり、独逸参謀本部から招聘《しょうへい》したメッケル少佐によって川上操六は聞き知っていた。しかしメッケルの薫陶《くんとう》をうけなかった乃木希典は知っていたかどうか。

講義は屋内ばかりでなく、ベルリン郊外で現地講話も受け、兵営、軍学校、演習の参観もした。このデュフェの講義が、帰朝後参謀総長になった川上操六によって日本陸軍の改善に大いに資し、のち、日清戦争における川上の作戦精度を高めたであろう。

が、乃木希典はおもに服装と容儀に関心をもちつづけた。

デュフェに毎日親炙《しんしゃ》することによって、デュフェが居常笑顔を惜しみ、つねに威厳に満ち、その挙措《きょそ》の端正であることにほとんど衝撃にちかい感動をうけた。

独逸人はこの点ではヨーロッパ諸民族のなかで特異であり、かれらはなによりも制服を好み、制服によって人格を作るとさえ他の民族から揶揄《やゆ》されていることなど、極東からきた乃木希典にはむろんわからない。この制服、容儀のみごとさこそ独逸陸軍の偉大さであるとおもった。そう思ってみれば指導教官のデュフェだけでなく、町をゆく若い士官も、陸軍省の食堂で食事をしている高級士官も、すべて威厳に満ち、堂々としており、あの日本人にみる軽忽《けいこつ》さ、猥雑《わいざつ》さがすこしもない。

（これが、軍人である）

と、乃木はあらためて柳橋で芋掘り踊りをしていた自分が恥かしくなった。後年かれの執筆による前記「軍人はかくありたきものなり」にも、「実ニ予ノ如キモ、明治十四五年ノ頃マデハ、アルトキニハ主動者トナリテ料理屋宴会ヲ開キタリシハ、今更慚愧《ざんき》、汗顔ニ堪《た》ヘズ」とある。

「貴官は、いつ軍服をぬぎます」

と、乃木はデュフェに質問したであろう。

「寝《しん》ニ至ルマデ脱《ぬ》ガズ」

と、デュフェは答えたにちがいない。いつのほどからか、乃木の調査は戦術戦略よりもむしろそのことに重点がおかれた。

ちなみに乃木希典は帰朝後、その生涯においてもっとも長大な字数の文章を書き、時の陸軍大臣伯爵大山巌に提出している。かれの独逸留学の成果というべき意見具申書であり、ペンを用い、その字数は大型罫紙に細字をもって書きつらね、二十四枚におよぶものであった。その文章は論理性が高く、論旨は明快で、論文としての構成も堅牢《けんろう》といえるであろう。

論文は、論旨からみて二項にわかれているように思われる。第一項にはしきりと「操典」の必要を説いている。かれがこの論文でいう操典という言葉は意味やや不明で、最初は歩兵操典のようなものかとおもいつつ筆者は読んだが、どうやらそれでもなさそうにおもわれる。要するにのちの「作戦要務令」のような、戦術思考と指揮動作に必要な基本法則集といったようなものであろう。その「操典」なくしては近代軍隊は運営できない、と乃木は言い、早急に編纂《へんさん》すべきことを献言している。おそらく独逸留学中、デュフェ大尉が教科書として用い、現地教育のときもそれを携《たずさ》えていたあの小冊子《しょうさつし》が、乃木にとって不思議なほどの魅力を感じたのであろう。

第二項は、おもに服装・容儀に関するものである。乃木希典は独逸留学後、独逸軍人における「外形美」ともいうべきものに傾倒し、その美の信徒といったようなものになりはじめており、これがこの論文の最大の力点であろう。

「独逸国軍人ガ能《よ》ク自ラ名誉ヲ愛重スルノ一例ヲ挙グレバ、将校等ガ居住必ズ其ノ制服ヲ脱セザルニ於テモ亦《また》見ルベシ」

という文章からこの項ははじまる。論文によれば独逸陸軍にあっては、軍人はその制服の名誉を重んじ、つねに制服を重用することによってその挙措動作や礼節も軍紀から逸脱することがない、すべて制服着用が根源になっている、という。

彼ノ国ニ於テ旅館、茶屋、割烹店《かっぽうてん》ノ如キモ、彼ハ将校等ノ出入スル処ナリト言ヘバ、其ノ家屋ハ鄙賤醜猥《ひせんしゅうわい》ニ非ザルヲ証スルニ足ルノ慣習アリ。又一事ニ就《つい》テモ他ヲ察スルニ足ルベシ。(中略)然ルニ我国上流、高等ニアル武官ニシテ浴衣、寝衣ヲ以テ公事ヲ部下ニ談ジ、訓戒、督責モ行フガ如キ、又ハ鄙猥賤業《ひわいせんぎょう》ノ家屋ニ出入シテ憚《はばか》ラザルガ如キ、共ニ礼節、徳義ヲ放棄スル者ナリ。制服ノ貴キヲ忘レ、其ノ名誉ノ表章タルヲ思ハズ之ヲ著シテ豪然卑猥賤業ノ家屋ニ出入スル者ノ如キハ又其ノ甚シキヲ加フルト言フベシ。

この献策を、陸軍大臣大山巌がどのように受け入れたかは、明らかでない。すくなくともこの反映と思われるような通達――将校は家にいるときも軍服を着用すべし、名誉ある軍服を着て料亭にゆくべからず、といったふうの――は出ておらず、将校社会における風習は以前のままであった。

が、乃木少将だけは一変した。紬の着物も着ず角帯も締めず、料亭の出入はいっさいやめ、日常軍服を着用し、帰宅しても脱がず、寝るときも――乃木式といわれ、死にいたるまでひとを驚嘆せしめたことだが――寝巻を用いず、軍服のままで寝た。独逸人ならば洋式家屋で起居（あたりまえだが）しているために洋服生活は自然であったが、畳の上で生活をする乃木希典にとってはこの行態《ぎょうたい》は傍目《はため》にはいかにも窮屈であり、違和感があり、それがために傍目には悲痛にさえみえた。しかしながら乃木論文にいうがごとく「軍人名誉ノ制服ヲ著用スルヲ好マザルゴトキハ、何ゾ下流後進者ノ模範トナルニ堪《た》ヘンヤ」という心境であったであろう。

乃木希典は独逸参謀本部への留学以後、その居常は独特の生活規律をもつようになり、精神家として大きく傾斜した。かれの生涯を深く歴史に印象づけたのは旅順における近代要塞への攻撃とされているが、この独逸留学中、その生涯で唯一というべき近代戦術の習得の機会において、要塞と要塞攻撃に関する研究はなかったようであった。乃木希典の関心事は、あくまでも教育（自己に対する教育もふくめて）であり、精神美の追求であったにちがいない。

歳月を経た。

この間、乃木はすでに四十をすぎている。その間、名古屋の歩兵第五旅団長に補せられたりした。しかしほどなく休職になり、まだ壮齢の身ながら那須にひきこもった。同年中に復職を命ぜられ歩兵第一旅団長になり、明治二十七年、第一師団長山地元治中将に属して日清戦争に従軍し、従軍中に陸軍中将に任じ、ひきつづいて男爵を授けられ、華族に列せられた。この当時、中将に昇任すれば華族になるというのがほぼ常例であった。

明治三十四年五月に休職を命ぜられ、この休職はかれの生涯でもっとも長く、同三十六年にいたるまでつづいた。かれはそのもっとも気に入っていた那須の別荘に移り、農人の生活に入った。すでに齢は五十代の半ばになろうとしており、この年齢で、しかもその才幹も老朽し、かれの存在が近代陸軍の軍政、戦略の推進にさほど必要でもなくなっている、と軍部があるいは評価したのかもしれない。

「自分の生涯は、山田の案山子《かがし》である」と、しばしばこの時期での乃木希典は洩らしている。言うだけでなく知人の画家に、「わが肖像である」といってかかせた案山子の図を那須屋敷の床の間にかかげ、長時間、無言で見つめていることもあった。

――筆者曰《い》う。筆者は乃木希典伝のうちのもっともすぐれた一つである宿利重一氏の『人間乃木　将軍篇』の第三一五頁の第六行目にこのことばを見つけたとき、ながい労苦のすえようやくひとつのことばに行きあたった思いがした。筆者が乃木希典についてかねて抱いていた疑問は、この将軍が軍事技術者としての自分の能力の乏しさをどの程度まで知っていたか、あるいはついに気づかずにすごしたか、気づいていながらあえて陛下の将官である体面上気づかぬふりでいたか、あるいは且つもしそれに気づいているとすれば、現実の任務（将官としての）とのあいだにどのような懊悩《おうのう》自責があり、どのようにかれ自身のなかで屈折したか、ということを知りたかった。

さらに曰う。筆者はこの書きものを、前述したように、作品として完成させようと志しているのではない。考えることを単に試みているだけであり、思考の契機になるようなことのみを書こうとしている。そのおもな目的が、右の課題であった。この課題を解決してはじめて小説になるものならばなるであろう。

この「案山子」がそうにちがいない、とおもった。かがしとは、新村出氏の『広辞苑』によれば「竹や藁《わら》などで人の形を造り、田畑に立てて、鳥獣の寄るのをおどし防ぐもの」とあり、その第一義から転じた意味として「みかけばかりもっともらしくて役に立たぬ人」という釈義も出ている。乃木希典は、自分をもってそれであるとし、「その役だたぬ人」というのが自分の肖像であるとして案山子を書かせた。

……

と、筆者はおもった。しかしよく考えるとどうもちがうようにも思われる。乃木希典は休職にあたって、「案山子として晩年を終るべし」と洩らしつづけていたという。とすればなるほど非職（休職）軍人は姿ばかりの軍人で現務を執《と》らせてもらえないから案山子であり、無能の意味ではない。乃木希典は単に現務をとりあげられたことについての深沈とした心境を案山子に託しているのであり、無能の謂《いい》ではない。「晩年は案山子として」というかぎりは、それ以前はむろん案山子ではなく、いきいきとした能力をもつ活人物であるべきであり、そう思っていたことになるであろう。那須退隠中に、歌がある。

張りつめし案山子《かがし》の弓はそのままに
霰《あられ》たばしる那須の小山田《おやまだ》

という壮気と自己肯定と、「しかしながら」の不遇感にみちた歌であり、自分の未来に期待をもつといったふうの活力にあふれている。暮夜ひそかに自分の無能をおもって自虐するというような、そういう姿はない。無いだけでなく、乃木希典はおそらく筆者《わたくし》の考えていたような、自分の能力に疑いをもつというようなことは、あるいはなかったかもしれない。そのように考えを修正してみると、筆者の私《ひそ》かな期待ははずれたにしても、別な乃木希典をあらたに知る思いがし、なおこの書きものを（いや、思考を）続けてゆく気持をとりなおした。

四

日露戦争に触れねばならない。

かねて対露戦の作戦計画を練っていたのは参謀総長川上操六であったが、かれは日清戦争での過労から病がちになり、明治三十二年に病没し、陸軍部内を落胆させた。そのあとを、田村怡与造《いよぞう》が担当した。田村は山梨県人で藩閥以外から出た最初の将官のひとりであり、明治政府がつくった士官学校の一期生であり、川上操六がこれを門下生のようにして愛し、かれを参謀将校として成長させるためにあらゆる機会をあたえた。田村は川上のあとその対露戦計画をひきついだが、しかし日露戦争の直前、参謀本部次長の現職のままにわかに死んだ。その後任には、適材がなかった。

あるとすれば、川上・児玉と併称された児玉源太郎だけであったが、児玉はその職につくには上級者でありすぎた。かれは明治三十三年に陸軍大臣になっており、ついで内務大臣兼台湾総督になっていた。参謀本部次長（総長は大山巌）になるとすれば甚しい降等《こうとう》であった。が、児玉はみずからその職を買って出て、田村の死とともに執務を開始した。

児玉が参謀本部に出仕し、執務をひきついでみると、田村の晩年は対露計画にひどく消極的になっていることがわかった。理由は、元老たちが対露戦は必敗であるとし、それに消極的な態度に終始しているため、田村はやむなく本土防衛計画の立案に重点を置いていたからであった。児玉は参謀たちを督励してあらたに計画を立案しなおした。ロシアの南満州占領後の情勢からみて日本はもはやその圧迫に耐えきれなくなっており、勝敗に多分の危惧を残しつつも開戦に踏みきらざるをえない窮状にあった。児玉は開戦論者であった。

明治三十七年二月六日、日本はロシア帝国に国交断絶を通告し、ただちに旅順港外においてまず海軍が戦闘行動をおこした。

これより以前すでに五日に三個師団に動員がくだっており、同日那須にいる乃木希典のもとに令状がとどけられた。乃木希典をもって留守近衛師団長に補す、という。出征したあとの近衛師団の留守せよということであった。

乃木はこの人事を不満とし、その鬱懐《うっかい》を詩に託したりしたが、しかしその希望するような第一線への配置は考えられそうになかった。

陸軍の初動作戦は、第一軍による鴨緑江《おうりょっこう》北上作戦であった。この司令官は薩摩出身の黒木為楨《ためもと》であり、幕末争乱のころは黒木七左衛門と名乗り、維新後陸軍に入った人物であった。第一軍の司令官以下の人選方針は、初動作戦の必要上、猪突《ちょとつ》猛進の気概にみちた者ばかりが選ばれた。むろん、児玉の人選である。

第二軍も、すでに編制され、上陸地にむかって輸送されつつあった。司令官は旧小倉藩出身の奥保鞏《やすかた》であり、悍気さかんな典型的武人であった。第三軍はまだ編制の段階ではない。

さて、第三軍司令官についてである。軍司令官である以上、大将か、古参の中将がこれに充てられるであろう。この開戦当時において陸軍に十四人の中将がいた。そのうち薩長出身は十人である。さらにそのうち明治二十八年度に任ぜられた者を最古参とするならば岡沢精《くわし》と乃木希典しかいない。岡沢精は長州萩の出身で、維新後四等軍曹からはじめ、累進した。乃木より五歳年上であり、年齢からしても野戦勤務に堪えられぬであろうし、それに岡沢はすでに宮中に入っており、侍従武官長をつとめている。とすれば、乃木希典しかない。

年功序列からいえば当然乃木が選ばれてしかるべきであろう。そういう予測が、軍部内にもあった。それに乃木は明治帝のお気に入りであり、この名は戦時陸軍の人事に加わってもいい。この乃木起用問題について、

「乃木には、乃木にふさわしい役があろう」

と、ある要人がいったという。乃木は直ちには起用できないが、やがてはその性格と能力にふさわしい職が出てくる、というのである。このことばは元老山県有朋のものであったともいうし、児玉源太郎の口から出たともいう。要するに乃木希典は開戦の初動期を担当するもっとも重要な野戦司令官としては、その選に洩れた。

これとは別に、旅順要塞を攻撃するというはなしがうかびあがったのは、開戦後、ずいぶんの期間が経ってからである。

それまでは、旅順を攻めるという案はなかった。故川上操六案にもなかったであろうし、故田村怡与造《いよぞう》案にもなく、児玉源太郎案にもなかった。この遼東半島の尖端にあるロシアの租借港《そしゃくこう》に然るべき要塞が築かれつつあるということは大本営も察

していたが、これを攻略せねばならぬというほどの戦略上の必要を、日本陸軍は感じていなかった。あくまでも対露作戦の目的は満州の中央平野においてロシア軍を撃滅するにあり、こういう辺地の要塞など、本戦が勝利に帰せば捨てておいても朽ちてしまう。その意味で、陸軍の旅順無視は戦略上正しいであろう。

ところが、海軍がそれを要請した。

旅順港内に、ロシアの旅順艦隊がいる。これに自由をゆるせば日本列島の水域は危険にさらされるし、かつ海軍戦略にとって最大の苦痛は、ロシアのバルチック艦隊が極東に回航されてきたとき、この旅順艦隊がその戦力に加われば彼我《ひが》の艦隊勢力の差が大きくなり、おそらく勝目がない。

当初、海軍はこの旅順艦隊を物理的に閉じこめようとした。旅順港はその港口がきわめて狭く、その袋の口を閉じればいい。老朽船舶を港口に沈めることによって閉ざそうとした。このため決死の閉塞隊が募られ、開戦以来、敵の要塞砲火を冒して何度もその作業が試みられたが、前後数回にしてなおそれが成功せず、ついには絶望視された。このため、陸軍によって要塞をその背面より攻め、それを攻め陥《おと》すことによって旅順艦隊を港外に追い出し、港外で撃沈する以外ないということになった。海軍は陸軍にそのように要請した。

「そういうことならば、やむをえない」

と、大本営参謀本部はその要請を手軽に――としかおもえない――ひきうけた。

これが乃木希典の巨大な不幸になった。

なにぶん、在来の作戦計画には旅順要塞の攻撃という要素が入っていないため、参謀たちのこの点の知識は白紙に近く、その要塞内容に関する諜報も入っていない。それに秘密主義の徹底したロシア軍は旅順については厳重に緘口《かんこう》してきており、外国武官もそれについての知識がなく、日本の在欧駐在武官をしてそれを間接的に聞きこませるという手もなかった。

それに日本陸軍は近代要塞を攻撃したという経験がなく、知識にもとぼしい。その知識は、在来不要であった。ロシアが南満州を占領するまでは、日本は支那を仮想敵国として作戦計画をたてておればそれで済んだからである。事実、日清戦争のときには、日本陸軍は旅順の存在には触れた。この港は清《しん》帝国の北洋艦隊の根拠地であり、その港の周囲には清国は清国なりに多少の支那式砲塁を築いていた。この要塞ともいいがたい防衛陣地を、当時の第一師団は一日で陥してしまっている。そのときの土佐藩出身山地元治中将指揮下の旅団長が、少将時代の乃木希典であった。

「乃木は旅順を知っている。乃木がよかろう」

という人選の発想はそういうところにある。乃木中将は旅順という土地の案内にくわしい、ということであり、この近代戦のなかで最も困難な課目とされている要塞攻略の権威であるということではない。このような評価で人選されたことも、乃木にとって不幸であった。

現実の旅順要塞は築城を長技とするロシア陸軍が八年の歳月とセメント二十万樽をつかってつくりあげた永久要塞で、すべてベトン（コンクリート）をもって練り固め、地下に無数の窖室《こうしつ》をもち、砲台、弾薬庫、兵営すべて地下にうずめ、それら窖室と窖室とを地下道をもって連結している。たとえ野戦砲兵をもってこれを砲撃しても山の土砂をむなしく吹きあげるのみですこしの効果もない。

これについて参謀本部はどの程度知っていたか、いまとなってはわからない。すこしも知らなかったということが定説になっているが、そうであろうか。日清戦争後、日本の参謀本部の仮想敵国はロシアになっており、ロシア研究については貧困であったとは思えない。たとえ旅順関係の情報を一片も持っていなくても、ロシア陸軍の規模、予算、思考癖、行動癖というのは十分わかっているであろう。ロシアの極東における帝国主義が旅順港をもっとも重視していることも明白であり、彼がこの旅順を得てから八年になるのである。右の基礎条件から考え、旅順がいまどういう現状になっているかということぐらいは、想像力さえあれば素人でも想像できるであろう。その程度の想像力も参謀本部になかったということは、どうにも考えられない。

が、現実の参謀本部にあっては、開戦早々のころ、田中義一、大庭二郎などの少佐参謀他がこの問題について意見書を出したとき、

「旅順の兵備はなお薄弱である」

という文章を書いており、この点からみると、かれらは事実無智なようでもある。あるいは無智を粧《よそお》ったのであろうか。かれらは自分の想像におびえつつも、「事実についての確認情報がない」ということでみずから慰め、他を（乃木というこの方面の攻略担当者を）あざむいたのであろうか。勝手な想像を伝えて攻撃担当者の心理に無用の刺激をあたえてはならないとおもったのだろうか。

そこは、よくわからない。

ともあれ、乃木希典は横浜在留のイギリス人仕立屋につくらせた新調の軍服をきて大本営に出頭し、第三軍司令官に補する旨の命令とその編制、幕僚人事、その他必要な指示をうけた。

このとき、旅順ときいて、男爵陸軍中将乃木希典が軍事技術者としてどういう反

応を示したか、その点もわからない。参謀本部の若い少佐参謀たちも軍人なら乃木希典も軍人であり、しかも軍人に要求される資質は敵情に関する的確な想像力であった。ロシアが占有したあとの旅順が、いつまでも支那式要塞のままであるとは、むろんおもっていなかったであろう。

この当時、すでに近代要塞に関する戦術論がヨーロッパではやかましく論議されていたし、そのうちもっともすぐれた意見としてフランスのボーバンのいう「完全築城をほどこした要塞を攻撃するにはいわゆる正攻法をもって進まねばならない」ということが原則化しており、それらの書物は、参謀本部にも陸軍大学校にも来ているはずであり、軍人ならば当然の義務として読んでいなければならない。ボーバンのいう正攻法とは、要塞とは裸の歩兵で奇襲するべきものではないということであり、構造物そのものを物理的に破壊せねばならないということであり、その方法をいう。つまり工兵と砲兵の圧倒的使用ということであった。日本戦史のうえでいえば、城攻め――要塞攻略――でボーバンのいう「正攻法」をとったのは豊臣秀吉であり、備中高松城の水攻めがその好例であった。そのほか、例がきわめてすくない。

が、大本営が乃木希典にあたえたのは、わずか三師団の歩兵と、野砲一個旅団、重砲兵三個連隊であった。その砲のうち、十五珊《サンチ》の青銅臼砲《きゅうほう》、九珊の青銅臼砲がまじっていた。火砲が鋼鉄になってから久しいというのに、維新前後に通用した青銅砲をもたせてやるというのは、理由は別として、乃木希典はこの事態のなかでは、客観的存在としてすでに不幸な戯画である。

さらにまた、乃木希典に要塞知識があれば、この時期において大本営と激論しなければならないであろう。火砲が必要ならば、のちこの戦役中に日本が独逸のクルップ会社に急場の注文をしたように、この時期において出来ぬはずはなかった。が、乃木はこれについては一切黙然《もくねん》とし、なんの要求もださず、意見も具申しなかった。乃木はもともと、学芸——軍事上の学問、技芸——の重視については一家言をもっていた。乃木希典は将校のあいだに学芸を誇る風潮があるのを喜ばず、また学芸があるということで軍当局がその将校を昇進させるという風潮にも異論があった。前記、独逸から帰ったときの意見具申書にも、「受クル処ノ教育、修《おさ》ムル処ノ学術ハ、実ニ已《おの》ガ任務ヲ遂達《すいたつ》スルノ補助ニシテ、奉ズル処ノ職務ノ結果コソ、即チ已《おの》ガ進退栄辱《えいじょく》ヲ表スルモノナレバ、其ノ学芸ノ如キハ、其ノ身ニ属スル私有物タルニ過ギザルナリ」と言い、軍人としてはあくまでも学芸は副次的価値であるとみている。すでに専門化し、専門知識を尊ぶ近代軍隊のなかでは、この意見は容《い》れられにくいであろう。ともあれ、この補任にあたって、乃木希典は近代要塞に関する専門知識を示さなかったし、示すほどの知識はこの精神家にはなかったようにおもわれる。

とにかく、大本営の方針は、

「強襲ヲモッテ一挙旅順城ヲ屠《ほふ》ル」

というものであった。敵要塞から多少の抵抗をうけ、それがため多少の犠牲を払うとも、あくまでも肉弾をもって奪《と》る。肉弾をもって火砲の不足を補わねばならぬ、というのが基本方針であった。それには精神家の乃木が最適であろうと大本営はおもったかどうか、それはわからない。「乃木には乃木でなければならぬ役がある」といった前記山県有朋のことば（不確実だが）はすくなくとも旅順を想定した時期のことばでなく、このことばをもってこの人選の理由をさぐるわけにはいかない。

五

乃木希典が新設の第三軍司令官として現地におもむくべく東京駅を離れたのは、開戦後三カ月目の五月二十七日のことである。

その参謀長として、陸軍少将伊地知《いじち》幸介《こうすけ》がつけられていた。

「伊地知がおるから、だいじょうぶだろう」

と、大本営ではたかをくくった。伊地知がそれほど要塞攻撃について能力があるというわけではなく、かれが砲兵科出身であるという点で、ひとは漠然とその適性をみとめた。

伊地知幸介は、薩摩藩出身である。陸軍士官学校の第一期生であり、軍事上の正規教育をうけたというその点でも、――乃木のように旧弊ではない。――という、漠然とした権威性が伊地知にはある。維新前の武士あがりの将軍たちには、ほんの一部をのぞいてかれらはすでにあたらしい軍事の担当能力がないとされている。海軍では早くから山本権兵衛がこの点に気づき、戊辰《ぼしん》戦争生き残りの提督たちを大量に予備役に編入し、大整理をしてしまっている。ただし現在、連合艦隊を率いている東郷平八郎の場合は特例で、かれは戊辰ノ役では薩藩海軍の砲術士官であったが、維新直後、英国において足掛け七年間の海軍教育をうけており、その経歴は海軍部内でも稀少とするに足るであろう。海軍将官のうちいわゆる旧弊のなかでは大将伊東祐亨《すけゆき》が海軍軍令部長として残っている。伊東は薩摩の出身であり、維新前、勝海舟が神戸に建てた半官半私の海軍塾「神戸海軍操練所」で塾頭の坂本竜馬の下につき、海軍を学んだ。ただ途中蛤御門《はまぐりごもん》ノ変がおこったため藩によびかえされ、京都で陸兵として戦っている。それだけが伊東の技術上の学歴であったが、しかしかれは柔軟な頭脳をもっているため、あたらしい海軍戦略も十分にこなすこともできたようであった。

さて、乃木にあたえられた参謀長伊地知幸介のことである。かれは士官学校卒業後、最初から参謀将校として養成さるべく、その軍歴を規定された。少尉任官後長期にわたってフランス陸軍に留学し、中尉のときには独逸陸軍に留学させられている。少佐のときから参謀本部に入り、日清戦争では現地軍参謀として旅順に戦った。この点の土地経験を買われ、乃木の参謀長に補せられたのであろう。さらに乃木希典が少将当時、独逸に留学したとき、ベルリンで伊地知がその便宜をはかったために、人としての縁も深く、まずかれらは懇意の仲といっていいであろう。伊地知はそれらの経歴からみても、乃木と旅順で結ばるべく宿命づけられているようであったが、これが伊地知にとって幸福であったかどうかはべつである。

伊地知は参謀本部の第一部長であったりして、対露作戦計画の事実上の担当者の

一人であった。これほどの重職者を、大本営がみずからの不便を忍んで乃木のもとにつけたというのは、好意といえば好意であり、

——伊地知なら大丈夫。

という大本営の安堵《あんど》もそこから出たのであろう。しかし伊地知がそれほどの謀将であるのかどうか、よくわからない。

旅順要塞の攻略を海軍が要請した、ということは、さきに述べた。この大本営会議で海軍側が、

「海軍重砲隊を協力せしめましょう」

と、提議した。海軍砲は口径も大きく、その貫徹能力も大きいため、当然陸軍としてはこの申し出を受けるのが得策であろう。これについては砲兵科の出身であり、かつて参謀本部の第一部長でもあった伊地知幸介が答えねばならない。

「その必要もなかろう」

と、伊地知は——かれだけでなく、参謀本部の課長たちも——はねつけている。海軍の応援をうけたということでは陸軍の沽券《こけん》にもかかわる。それに旅順要塞は

「日清戦争のときであの程度であったが、いまは当時と多少違うにしても陸軍の手だけで十分である」といった。伊地知はその参謀副長として自分の参謀本部時代の

旧部下であった大庭二郎中佐をひきぬいて同行することにしたが、この大庭は少佐参謀のころに「旅順の敵配備は手薄である」という旨の説をたてた人物であり、これはさきに述べた。

要するに乃木の最初の不運は、名だたる旅順軽視論者をその参謀長と副参謀長にしたことであろう。

ちなみに、日本陸軍の慣習は、司令官の能力を棚上げにするところにある。作戦のほとんどは参謀長が立案し、推進してゆき、司令官は統制の象徴であるという役割のほか、作戦の最終責任をとる存在であるにすぎない。

あるいは、日本人の安全感覚という点での伝統であるかもしれない。戦史の例でいえば、源平のころ、源頼朝がその弟義経につけた参謀長（目付《めつけ》・軍監）が、梶原景時であった。景時は軍略と軍行動のいっさいを自分にまかされたとおもい、そのようにふるまおうとしたところ、義経の独断的性行にはばまれ、ついに頼朝に訴えた。訴えるだけの慣習上の正義が軍監にはあるのであろう。戦国期になり、いわゆる英雄が群立したが、かれらはすべて大将専断であった。が、かれらの子孫が江戸期の大名になったとき、「殿様はなにもご存じなし」という前提のもとにすべて家老がとりしきる制度になった。近代陸軍になってもこのほうが、――つまり将軍たちの能力が銹《さ》びているとして——安定感のあるかたちだったのであろう。よき司令官とはその参謀を信任し、かれらの腕を十分にふるわせるものだという定型ができあがってしまっている。たとえばこの時期の前後、満州派遣軍総司令官の位置に大山巌がつき、その下の総参謀長として児玉源太郎が就任した。当初は大山でなく元老の山県有朋がみずから総司令官を買って出るという気配があったが、そのとき児玉源太郎が、

「山県の爺《じい》ではだめだ」

といった。どうせ満州における全日本軍の作戦は総参謀長たる児玉源太郎が立てねばならない。事実上、児玉がいくさをする。むろん、立案すれば一応は司令官の応諾《おうだく》を得るのだが、児玉のいう「山県の爺」というのは何事にも一家言があってつべこべと愚にもつかぬ口出しをしてそれがために作戦に支障がおこるかもしれない、というのである。「蝦蟇《がま》坊のほうが肚《はら》が大きく、一切をまかせるからいい」と、児玉はいった。蝦蟇坊というのは大山巌のあだなであるらしい。要するに司令官と参謀長の関係は、そのような機能関係にあり、すぐれた参謀長を得れば司令官はねむっていても作戦は進行してゆく。

ともあれ、乃木希典は少将伊地知幸介を得た。

東京から広島までは汽車である。乃木は司令部将校とともに一ツ汽車でくだった。途中、列車が静岡駅に入ると、

――第二軍は金州を陥し、つづいて南山《なんざん》の嶮をも抜いた。

ということを新聞号外で知った。号外は駅員の好意で列車の後部にほうりこまれた。その後部車輌には司令部付の下士官・兵が乗っており、それらがどよめくように万歳を三唱した。万歳の声は後部車輌から順次波のように伝わってきて、ついに乃木希典の車輌にとどいた。乃木はすでに副官からその旨をきいており、万歳を唱えるべく腰をあげ、口をあけたが、声が出なかった。なぜならば前の座席にすわっていた参謀長伊地知幸介が飛びあがるようにして万歳をとなえたからである。乃木は小さく、

「万歳」

ととなえた。こういう場合、少年のころから控え目で、伊地知のようなああいう楽天的な声は出せなかった。乃木の少年の頃の性格は神経質でものにおびえやすく、物事に過敏すぎたが、成人とともにその性格をかろうじて克服した。壮年のころはことさらに意識し、酒席などで逆に豪放にふるまってみたりしたが、こういう些細なばあいにふとその性格の原型が露《あら》われてしまうらしい。

列車が広島に着き、一行は乗船までのあいだ待機すべき所定の宿舎に入ったが、このとき南山攻防戦のややくわしい様子を知ることができた。

南山における日本軍の死傷は四千三百人であるという。これには伊地知はみるみる不快な顔になり、

「一ケタ、まちがっているのではないか、四百ではないか、そうだろう」

と、何度もいった。

第二軍が攻めた南山とは金州湾付近にあり、旅順から百キロ東北方にあり、東京を旅順とすれば沼津あたりにあたるであろう。いわば旅順要塞のもっとも遠方の一支塁ともいうべきもので、最初は問題にもされておらず、

——野戦築城程度の築城ではないか。

とおもわれていた。ところが第二軍が攻めてみると全山が火を噴き、日本軍は屍《しかばね》の山をきずいた。乃木希典がむかし連隊長をしたことがある歩兵第一連隊はほとんど全滅し、軍旗は下士官が持ち、弾雨に追われて退却した。数次の歩兵の突撃はことごとく失敗し、この間、海軍が砲艦を金州湾にまわし、艦砲射撃をもって陸軍に協力し、やや攻撃側の火力は増加したが、しかし戦況は惨烈をきわめ、一時は参謀のなかで撤退説まで出た。が、軍司令官奥保鞏《がえん》は肯ぜずさらに強襲を命じた。

この奥の処置は結果としては正しかった。このとき奥が決意しなければ敵の援軍が南下して日本軍は後方を遮断され、全滅の運命におちいったであろう。奥はその強襲のすえこのささやかな高地をとった。この高地の攻撃に参加したわが戦闘員は三万六千四百であり、死傷者は四千三百八十七人である。

これに比し、敵はこの山を一個師団で守っていたにすぎない。その砲塁の砲数は重砲をふくめてわずか五十門であり、これに多数の機関銃が胸牆《きょうしょう》内に配置されていた。その胸牆や掩蓋《えんがい》はきわめて堅固で野砲の榴弾《りゅうだん》程度ではすこしもゆるがない。それでさえ旅順要塞にくらべれば、簡易要塞であった。

広島では、伊地知はしきりに不審がっている。

「負傷四千など、たしかに誤報だ」

と言いつづけた。伊地知は誤報と信じたいであろう。南山の一高地ですでにこれほどの築城となれば、かれが担当する旅順要塞群はその数十倍ほどの規模、ということになるではないか。

伊地知幸介がかつて経験した野戦は日清戦争においてであったが、その当時では一戦場における味方の損害は桁《けた》が百人単位であり、意識のどこかでつねにその経験がうずくまっており、その経験からあたらしい事象を把握しがちであった。軍人ほど過去の経験が意識を決定しがちな種類の人間はいないであろう。この点では、伊地知以上に高年齢である乃木希典もかわらない。乃木が参加した最初の戦争は西南ノ役であったが、この戦争では、一戦場での死傷は桁が十であった。それでも乃木はあのときの戦争をもっとも苦痛であったとし、旅順の体験を経た晩年にも、「自分がもっとも苦しい戦争をしたのは、旅順よりも西南ノ役であった」と何度もいっている。飛弾のなかでじかに身を曝《さら》していた第一線指揮官であっただけにとくにその肉体的な記憶がつよく、その記憶がつねに物事を発想する要素になっているのであろう。

――なるほど、死傷の数がすこし多すぎるようだ。

と、このとき乃木もつぶやいた。西南ノ役からいえばたしかにそうには違いなかった。

いずれにせよ、「日清役における旅順の経験者である」という点を買って乃木希典をえらび伊地知幸介を選んだ大本営は、むしろこの点において失敗であるかもしれなかった。かれらは旅順ときくと、日清戦争当時の旅順という土地の情景と戦闘経過の肉体的記憶があるだけに、その先入主があぐらをかき、それを払いのけることが不可能であった。であればこそ、乃木も伊地知も、この二十世紀の最新式永久要塞を攻めるのにあたって、幕末当時の十五珊《サンチ》の青銅臼《きゅうほう》砲や九珊の青銅臼砲をたずさえてそれに向おうとしているのである。かれらはこの砲についての苦情を、ひとことも軍当局に洩らしていない。ただその無力さを知ったのは、現地についてからであった。それら尊王攘夷時代の青銅砲は旅順で花火のように鳴っただけにすぎず、やがては鳴ることすらやめた。すぐ過熱するがために頻度《ひんど》高く使用するには堪《た》えなかったからであった。

この広島に入った翌日、乃木希典にはこの戦役でかれを見舞いつづけてゆく不幸の群れの、最初のそれが待っていた。長男の陸軍歩兵中尉勝典《かつすけ》戦死の公報が入った旨、東京の留守宅から報らせてきたのである。乃木勝典は歩兵第一連隊第九中隊の小隊長として父よりも早く出征し、第一軍に属して金州湾に上陸し、金州城の東門に据えられた敵機関銃のために左下腹部を撃たれ、大腸を切られ、後送されたが出血多量のため陣没した。

この報を得て、本来軍人としては多感すぎるほどの神経体質をもっているこの老軍人ははげしく悲傷したであろう。しかしその日記に、

勝典ノ事、電報アリ、他言セズ。

と書いた。事実、伊地知参謀長にも語っていない。家人には、「自分と、残る保《やす》典《すけ》（歩兵少尉）の棺がそろうまで勝典の葬儀は出すな」と書き送った。同日、寺内陸相からの弔電も届いたが、これに対しても、「大満足である」旨の返電を打った。それらをすべて偽善であると人から責められても――たとえ面とむかって責められても――希典は無言で堪えたにちがいない。うまれつきどこか羸弱《るいじゃく》で繊細でありすぎるかれが、若いころから自己を規整しそれに背骨をあたえてきたものはこの姿勢であり、ことに独逸から帰ってのちいわば軍人美ともいうべきものを心掛けるようになってからは、この姿勢がかれにおいていよいよ強烈なものになってきている。

書きおとしたことながら、かれが独逸滞在中に感じた欧州各国における徳義の根源は、宗教であると見たようであった。「然ルニ我邦《わがくに》仏教ノ如キハ、目下殆《ほと》ンド何ノ用ヲ為ストコロナク」と書き、軍人の徳義の根源は天皇と軍人勅諭と武門武士の伝統的忠誠心にもとめるほかない、と見、その旨を前記意見具申書にふくめて書いている。徳川時代に確立した武士道は死を前提とした上に成立しており、それへの到達は自己を常住死の意識のなかに置くという自己鍛錬以外にない。乃木希典は自己美の完成のために絶えずそこへ意識を集中してきた。かれは軍事技術者よりも自己美の求道者であり、この「棺が三つならぶまで葬式を出すな」といったのは他人への演出ではなく、自分自身への演出であった。さらに余談ながら、乃木希典は独逸より帰朝後、その少年のころの師玉木文之進——吉田松陰の叔父——が聖典のごとくにして教えた山鹿《やまが》素行《そこう》の「中朝事実」を読みなおし、熱中し、ついにはその教徒のごとくになった。この書は宗教性の薄い江戸時代の書物にしてはめずらしくその匂いが濃く、神道の書であり、漢文で書かれたおそらく唯一の神道書である。山鹿素行とは赤穂浪士の精神支柱になった思想家で、本来は兵法学者であり、軍学山鹿流をひらいた。松陰の吉田家は山鹿流軍学をもって代々藩に仕えた家で、素行学はこの一族の家学であった。吉田松陰はその素行思想を基礎にして「士規七則」を書いており、希典も当然ながら、松陰の一族としてその「士規七則」をつねに座右に置いている。要するに、そういう精神世界に住む——至って閉鎖的な——姿勢をとっている乃木にとっては勝典の死に対する右のような外面上の反応は当然のことであろう。

　乃木希典とその司令部は六月一日宇品《うじな》を出帆し、同六日、すでに第二軍占領下にある金州湾に上陸した。この上陸第一日に陸軍大将に任ぜられた旨、電報が入り、その階級章をとりかえた。同日付で児玉源太郎も陸軍大将に任ぜられている。

乃木はその予定陣地にゆくまでのあいだ、金州城から南山要塞にかけての新戦場を視察した。目的はロシア軍の陣地構築の方法と実際を見学するためであり、そうすることが旅順要塞理解への唯一の手がかりになることであったが、しかし乃木希典にとってこれは乾いた戦術眼のみをもって新戦場を視察する気持になれなかったであろう。現地の軍政委員である斎藤季二郎《すえじろう》少佐の案内で金州城の東門まえに馬をとどめたとき、随行の幕僚たちも希典に話しかけようとはしなかった。長男勝典はその小隊をひきい金州城の北門にむかうのが目的でこの東門付近にさしかかり、その楼上からにわかに機関銃の射撃をうけた。機関銃はこの当時日本軍にとってはじめて経験する新兵器であった。小隊は勝典をふくめてことごとく薙《な》ぎ倒された。勝典の場合弾丸は刀帯《とうたい》の尾錠《びじょう》にあたり、その尾錠ごと腹に食いこんだために傷は意外に大きく、大出血がその生命をうばった。そういう、勝典の死への経過も乃木は知らされた。帰路、夕刻になり、満州特有の血のように赤い落日が南山の一帯を染めた。希典は馬をとどめ、詩を賦《ふ》した。「山川草木転荒涼《うたたこうりよう》、十里風腥《なまぐさし》新戦場、征馬不前《すすまず》人不語《かたらず》、金州城外立斜陽《しやようにたつ》」という、詩人としてのかれの絶唱はこのときにできている。

乃木はロシアが放棄した大連に近いあたりに最初の司令部を置き、旅順攻撃の作戦を練った。

六

西南の天は、その下に地平線いっぱいの山なみが起伏している。山は一面の夏草と淡彩なみどりの灌木でおおわれ、その光景を二十倍の砲隊鏡でみても、このおだやかな山なみが、旅順の内郭《ないかく》陣地にいたるまでことごとく永久要塞化されていようとは、とうていわからない。砲塁、銃座はみごとに隠蔽《いんぺい》され、どうみてもただの山であった。

「どうも、よくわからない」

伊地知幸介は、首をふった。あとは肉眼的風景から空想するしかなかったが、かれに欠けていたのはそういう想像の能力であったであろう。ゆらい、作戦家に必要なのは実証精神のほかに旺盛な想像力であるであろう。伊地知がまだ尉官のころ日本にやってきて最初の参謀教育と参謀制度をうちたてた独逸参謀本部のメッケル少佐は、参謀将校における想像力を重視した。ある年の秋、メッケルは陸軍大学校の学生をつれて北関東へ参謀旅行をし、前面の山を指さし、

「あの山の背後に川はあるか」

ときいた。たれも答えられなかった。メッケルは怒号し、想像力は参謀の財産である、と言い、「あの地形と山のかたちを見れば川はあるはずだ。それも、こういう姿をしている」と言った。現地についてみるとはたして川はあり、そのような姿をしていた。ついでながらそのメッケルは、当時、「人を教えること神のごとし」といわれるほど人物眼のあった男だが、この当時、

「日本では児玉である。かれには独創と想像力がある」

と、帰独後もいった。児玉はメッケルが在任した当時はすでに大佐で、学生ではなく、陸軍大学校長として傭《やとい》教師のメッケルを監督していただけであった。ただその講義はかならず参観していた。この時期、乃木の参謀長伊地知幸介は滞欧中であり、高級参謀としてはめずらしくメッケルの門下生ではない。

ともあれ、旅順の山なみを遠望しつつ乃木の軍司令部がたてた攻略計画ほど愚劣なものはなかったであろう。その作戦とは、要塞群の間隙《かんげき》を縫い、歩兵による中央

突破を断行して一挙に旅順本要塞の郭内に入る、というものであった。この計画では敵の砲兵は眠っているにすぎず、敵の監視哨は盲人であるということを前提としているのであろう。ほとんど、童話といっていい。しかし、乃木も伊地知も正気であった。

ただ、この乃木軍の司令部が攻撃直前においてやった唯一の賢明さは、海軍と提携したことであろう。東京において、

「海軍重砲の提供は御無用である」

といったが、上陸早々金州城と南山の重砲武装におどろき、ようやく火力増強の必要を感じた。この当時、連合艦隊はこの旅順・大連を載せた金州半島の海域を完全に封鎖しており、つねにそこに軍艦がいた。海軍側は乃木のもとに使いを送り、ふたたび、

――海軍重砲を提供したい。

と申し出た。連合艦隊としては陸軍に一日も早く旅順を陥《おと》してもらわねば、敵のバルチック艦隊の極東水域出現に間にあわなくなってしまい、そうなれば敵の旅順艦隊とバルチック艦隊とを両手でひきうけねばならず、そうなってしまえば日本側は必敗せざるをえない。このため東郷平八郎みずからが上陸し、乃木希典と会談し

て重砲の提供をうけてくれることを懇請した。乃木側は、むろん受けた。すぐ海軍側はそれらの砲を揚陸し、砲座を敷設《ふせつ》しはじめた。その砲数は、十五珊《サンチ》砲、十二珊砲、十二斤《きん》砲をふくめて合計四十二門という多数であり、陸軍へ提供した海軍砲隊員は千三百人という多数をかぞえた。もしこの海軍重砲の火力がなかったならば旅順要塞は永久に陥ちなかったにちがいない（とはいえ、この海軍重砲が敵要塞に致命的打撃をあたえたというわけではない。岩盤よりも固いという敵要塞のベトン——それも厚さ一米《メートル》三十糎《センチ》——を撃ちぬくには、これら十五珊程度の重砲ではまだまだ脾弱《ひよわ》であった。一米三十糎のベトンに対しては口径二十二珊の重砲が必要であるであろう。この砲力計算は砲兵科出身の伊地知幸介なら当然できそうな計算であるように思われるが、しかし伊地知の発想のなかにはその種の思考要素はほとんどなさそうであった。これも、乃木希典の不幸の一要素であるにちがいない）。

ともあれ、かれらが考えたのは、歩兵の中央突破である。ちなみに乃木指揮下における第三軍の編制は、歩兵第一師団、同第九師団、同第十一師団、後備《こうび》歩兵第一旅団、第四旅団、野戦砲兵第二旅団、攻城特殊部隊、後備工作三個中隊ならびに兵《へい》站《たん》部《ぶ》、というものであり、その火砲の数は、野砲百八門、山砲七十二門、攻城砲百八十八門というものであった。

その制約されている任務は、できるだけ早急に旅順を陥し、満州内陸における決戦に転出せよ、というものであり、満州派遣軍としてもこれだけの兵数を満州最南端の一半島に釘付けしておくほど兵力が潤沢《じゅんたく》ではなかった。乃木の司令部は当然それを了承し、最初は一カ月で陥す予定をたてていたが、いそぎ力攻を開始することにした。

まず、前哨陣地からつぶさねばならない。乃木軍は山野に展開し、六月下旬、剣《けん》山の山麓《さんろく》で最初の砲煙をあげ、南北に大展開をしつつ南下し、ほぼ一カ月あまりをついやしておびただしい数の敵前哨陣地を奪った。これらの敵陣地は軽度の火力武装しかもっておらず、その上敵の戦略として日本軍に損害をあたえつつ逐次《ちくじ》前哨陣地から旅順本要塞へ兵をひきあげてゆくというところにあり、いわば半ば予定の退却であった。しかし乃木の司令部はこれを純粋退却とみた。これが、乃木の司令部をおごらせ、

——この程度か。

と、おもわせた。いわばそういう安堵が、いよいよ敵要塞への認識をあやまらせた。七月下旬、第三軍は金州半島を南北に遮断しつつ、ついに旅順要塞（ただし外郭）の前面に展開し、総攻撃の態勢をとった。

総攻撃の予定日は、
「八月十九日」
にきめた。乃木の司令部は数日で奪《と》れるとおもい、その目算を上申した。大本営ではこれをよろこび、この総攻撃をいっそうに華やかにするため、その旨、新聞発表をした。日本中が沸き、この総攻撃の日を待ち、一日か、せいぜい三日もあれば旅順は陥落するであろうとおもった。素人ならともかく、旅順をもっともよく知っているはずの現地軍みずからがなぜこのような軽率な目算を公表したのかわからない。新聞は当然それを信じ、予定日前後は、陸軍省の構内に天幕を張って記者を張りこませた。が、旅順は一日でおちなかった。それどころか、その後百五十余日をついやし、六万人の血を流させるはめになった。目算をこれほど外すというのは、それが無能のゆえであるとすれば、これほど悲惨な無能もないであろう。

参謀長伊地知幸介は、この総攻撃開始までのあいだに、いまひとつ劇的な手を打った。敵の旅順要塞司令官アナトーリィ・ミハイーロウィッチ・ステッセルに対し、戦わざる前に降伏を勧告したことであった。この突如の勧告に、ステッセルはおどろいたことであろう。

由来、日本人の慣例として——おもに戦国時代の——敵城の包囲を完了したとき、なんらかの方法で降伏を勧告する。日本戦史は単一民族のあいだにおこなわれた国内戦であり、それだけに敵味方とも何等かの縁故で結ばれていることが多く、降伏勧告もその点で無意味ではなかった。第一、城（要塞）とは防衛上の殺人機関であり、これに正面から攻めかかるのは人命を必要以上に損耗《そんもう》するため、できるだけ外交と謀略をもっておとすほうがいい。その意味で伝承されつづけてきた国内戦の城攻め慣習――非戦降伏の勧告――を、他国家の、異教徒の要塞に用いるというのはどういうことであろう。西洋の場合は敵が傷つき、ついに戦力の大半をつかいはたしたとき、とどめを刺す以前に降伏を勧告するのが通例であり、ステッセルもロシア人である以上、その常識しか知らない。

第三軍司令部から派遣された降伏勧告使は陸軍砲兵少佐山岡熊治であった。しかしながらステッセルはこれをきびしくはねつけた。だけでなく、この勧降は旅順要塞における四万四千のロシア将兵の戦意を沸騰させ、逆にかれらの士気と団結を高めしめる結果になった。

日本軍の最初の強襲開始の日は雲が低く垂れ、敵の山々がひどく近くにみえた。この日、朝六時に陸軍攻城砲百七十門、海軍重砲三十門、野砲八十門がいっせいに砲門をひらき、それぞれの目標にむかって砲弾をうちこみはじめた。命中するごとに砂塵があがり、草木が飛び、ときに連絡中のロシア兵が空中高く跳ねあがるのが遠望され、みるみる山容があらたまった。が、あとでわかったことだが、敵の砲塁、銃座はほとんど傷つかず、翌朝になればフェニックスのようによみがえって、山麓で行動する日本歩兵にシャワーのように砲火をあびせかけた。第三軍の砲撃は二日間にわたってつづき、予定弾数に達したため、三日目の八月二十一日未明、歩兵三個師団に対し、突撃を命じた。その結果は、全滅にちかかった。東鶏冠山《ひがしけいかんざん》堡塁にむかった本郷大隊は全将校をうしない、第十一師団は将士の大半をうしないつつも二度にわたって東鶏冠山にとりつこうとし、そのほとんどが死んだ。ロシア側の砲台は日本の歩兵だけでなく砲兵陣地にも集中砲火をあびせ、このため盤竜山方面の砲兵陣地はほとんど潰滅した。

　このいわば最初の強襲に参加した日本軍は総数五万七百人であり、このわずか六日間での死傷は一万六千人にのぼった。しかも一塁をとったわけでもなく、敵の堡塁は依然として健在であり、いっぴきの満州野鼠《タルバガン》が走ってもそれにむかって重砲弾と機関銃を集中した。

　この攻撃によって、第一線将士の目に、敵の砲塁とはどういうものであるかがまざまざとわかった。砲塁の前庭には鉄条網をめぐらし、その鉄条網内に外壕をふかく掘り、壕内に地下通路を走らせて歩兵を配置し、その背後にベトンで固めた外部斜堤を築いて敵の近接をふせぎ、さらにその奥に射手のための胸壁をつくり、その奥にふたたび壕——内部壕——を掘り、そのもっとも奥に砲座がある。頭上は堅牢《けんろう》な掩蓋《えんがい》をかぶって落下弾をふせいでいる。それらの砲塁が前後左右に網のように配置され、たがいに死角をなくし、一砲塁に押し寄せる敵に対しては他砲塁が左右から横ざまに射線を張れるようになっており、その吸血のための巧緻《こうち》さは比類がない。

第三軍司令部は六日間の流血をもってこの本質をようやく知った。二十四日の朝、乃木希典は伊地知幸介らとともに司令部前面の赤土の高所へのぼり、双眼鏡をもって敵の砲塁の山を遠望した。眼鏡《がんきょう》内に映じた山麓の光景は山肌をうずめる日本兵の屍体のみであった。ところがそのうちの一隅に日章旗が動き翻《ひるがえ》っている。

「旗がみえる。あの一角を、奪ったのではありませんか」

と、一参謀が指をあげて叫び、それにおどろいていっせいにその方角に双眼鏡をむけたが、よくみれば旗竿《はたざお》を掻《か》き抱いて兵が死んでいるにすぎず、すべてが屍体だった。ある連隊では連隊長以下一兵のこらず屍体になってしまっており、連隊旗手とその護衛兵だけがかろうじて帰ってきている。

この惨状をみれば、司令部の作戦思想が誤っていたと思わざるを得ない。しかも強襲を再開しようにも、もはや兵がなかった。師団も連隊も大隊ももはや名だけがあるだけであり、それを再び活動させるためには内地から兵員補充を待たねばならない。それに日本軍砲兵の弾庫はからになっていた。もし防禦《ぼうぎょ》好きのロシア人がほんのわずかでも攻撃の意欲をおこしたならばこの時期の日本軍を逆襲撃退することはわけもなかったであろう。しかしステッセルにもその幕僚にも——旅順要塞内でもっとも勇猛といわれた少将コンドラチェンコにさえ——その思想がなかった。それに逆襲のための機動部隊を、ステッセルは要塞内にもってはいない。

そのことが、予備隊の一部さえつかってしまった第三軍にとって辛うじての幸運であり、攻撃の再開まで後方にひきさがり、準備のための時間を消費することができた。

攻撃は再開された。この総攻撃で、ようやく要塞攻撃の正式の方式をとった。戦術上「正攻法」といわれているものであり、工兵重視の方式であった。突撃歩兵を守るために突撃路を敵陣の近くまで掘りすすめてゆく。この作業に十七日間を要した。

それに多少攻撃目標が変化した。二〇三高地という、それまで第三軍の幕僚伊地知少将以下が無視しつづけてきた無名高地を、その攻撃目標の一つにくわえたことであった。

この無名高地の戦術価値を最初に発見したのは、海軍であった。東郷平八郎麾下《きか》の連合艦隊は旅順周辺の海上を封鎖しているだけに、陸上の旅順の地形についても多少の戦術眼をもって読むことができた。

——なぜ、陸軍は二〇三高地に注目しようとしないのか。

と、かれら艦隊参謀たちはいらだつ思いでいた。これほどみごとな火線を構成している旅順要塞にあって、唯一の盲点があるとすれば、それは二〇三高地であった。ロシア側もこれに長く気づかず、さほどの築城もほどこしていない。それに海軍が海上から地形を推定するに、この高地をとれば旅順港内を一目で見おろせるにちがいない。となれば、この二〇三高地に重砲をひきあげ、港内の旅順艦隊を撃てば井戸に石を投げこむよりもたやすくそれを撃沈することができるではないか。

もともと、旅順要塞攻撃は海軍が陸軍に懇請して陸軍がやむなくひきうけたものであり、それだけが理由であり、依頼者である海軍としては旅順艦隊を山上からの陸軍砲で追いだしてくれるか、撃沈してくれるか、どちらかであればよい。別にあの大要塞の陸上の玄関から一塁一塁抜いて奥へ迫るような、そういう大規模な出血をしてくれと頼んだわけではないのである。

東郷の幕僚は、乃木とその幕僚に対し、再三再四、二〇三高地を攻略することを懇望した。が、第三軍はそのつど拒否し、伊地知幸介は、

「左様なことは陸軍にまかせておいてもらえばよい」

という意味のことをいった。

海軍側では、双台溝での陸海軍現地会議のときもこの二〇三高地説を提示し、その攻略方を懇請した。しかし伊地知に一蹴《いっしゅう》され、途方に暮れた。海軍にすれば、第三軍がこの最強堡塁の攻略方針で押してゆくかぎり、一塁にとりかかるごとに数千数万の兵を損耗し、その調子で一塁一塁を攻め、ついに旅順に到達する以前に日本軍そのものが消滅してしまうであろうと思われた。それはいいとしても陸軍が旅順の港内にまで到着してくれねば、海軍は敵の旅順艦隊を無傷のままでひきうけねばならず、よろこぶのはやがて回航してくるバルチック艦隊の司令官だけであろう。

海軍側は、現地の第三軍を動かしてもらうべく、海軍軍令部に要請した。軍令部では大本営会議にかけ、陸軍の参謀総長山県有朋、同次長長岡外史に要請した。その海軍案を検討してみると、なるほどそのほうが戦術的であり、論理的であった。むしろ攻撃の主眼をこの二〇三高地に移す以外旅順をおとす方法はないかもしれな

い、とたれしもがおもったし、第三軍の固執《こしゅう》が理解できなかった。要塞攻撃の要諦《ようたい》は弱点攻撃であるというのは古今の通念であるであろう。大本営ではさっそく順序としてそのむねを満州派遣軍の児玉総参謀長に長文の電報をうって意向を問うた。

「そのとおりだ。二〇三高地が弱点ならば二〇三高地に攻撃の主眼をむけなければならない」

と、児玉はいった。児玉はすぐ参謀を出張させ、第三軍幕僚の翻意をうながしたが、しかし効果がなく、かれらは自説をゆずらない。

「狂ったのか」

と、大本営陸軍部内は、ほとんど呆然《ぼうぜん》とした。満州総軍の幕僚たちもしきりに非難したが、しかし攻撃の実施面では第三軍司令部の権限を尊重せねばならず、かれらの持説を撤回させるには乃木希典と伊地知幸介を馘首《かくしゅ》する以外に手はなかった。

第三軍の乃木とその幕僚たちにすればその固執はさほどの論理があってのことではなく、戦場にいる高級軍人にありがちな心理的なものであり、いったん立てた自分の方針から抜け出せないだけであろう。かれらは彼等なりに精緻に現地偵察をし、何度も会議をひらき、その上で立案し、その案どおりに歩、砲、工兵という生きた兵棋《へいき》をうごかし、しかもその結果万以上の屍体の山をきずいてしまった以上、この強烈な現場経験の洞窟のなかに入りこんでしまい、他の世界に目を移す気もおこらなくなっているのにちがいない。その上、性格として乃木は精神家であり、伊地知は自意識がつよく、かれら自身がつくる意識の洞窟は他の者よりも堅牢であった。

「もう一度やらせてくれ。こんどはきっと成功する」

と、伊地知は満州総軍からの連絡者にいった。ところが、第三軍麾下の前線で死闘している第一師団の参謀長飯田俊助から、

「二〇三高地ならとれそうです」

という現地偵察の結果報告があり、司令部では急に態度を修正した。これも現地心理というものであろう。伊地知らにすれば、後方の大本営や満州総軍からどのように知恵を提供されようとも小姑《こじゅうとめ》の陰口程度にしかきこえなかったものが、自分の手足になっている麾下の師団参謀長から現地感覚をもって説かれるとひどくそれが重大なことに聞えてくるらしい。

「では、兵力の一部を二〇三高地に割《さ》けばどうか」

と、乃木希典が発言し、伊地知幸介が承知し、すぐそのように攻撃部署を一部変更した。しかしながらあくまでも微温な折衷《せっちゅう》案にすぎず、攻撃の主眼は依然として前回万余の血を吸った堡塁群であり、いわば兵力は分散した。

九月十九日、総攻撃が再開された。最初の「正攻法」であり（現実には軽度の工兵使用をしたのみで、厳密な正攻法とはいえず、強襲であったが）その効果は大いに期待され、各師団は死をおそれず――むしろこの肋骨服《ろっこつふく》のむれは死をよろこぶがごとく――所定の攻撃目標にむかって猛進した。その攻撃部署は、第九師団は竜眼《りゅうがん》北方高地を、第十一師団は竜眼前面の諸堡塁を、そして第一師団は水師営南方高地を攻め、その師団右翼をもって懸案の二〇三高地を攻めしめた。激闘は四日にわたってつづいたが、局面はすこしも好転せず、ふたたび敵の砲塁下に屍《しかばね》の山をきずいて総攻撃は頓挫し、敗退した。この四日間に第三軍が消費した弾量は、榴弾《りゅうだん》三万二千余発、榴散弾《りゅうさんだん》一万余発、小銃弾百九十余万発であった。死傷は四千七、八百人であり、これだけの血と鉄をつかっていくつかの堡塁と通称なまこ山というちっぽけな高地を手に入れただけであった。

問題の二〇三高地はついにとれなかった。この高地は当初連合艦隊の幕僚が推定したようにロシア軍はなんの防備もほどこしていなかったが、第三軍の攻囲線が完了したころ、ロシア側は急にこの弱点の所在に気づき、防備をほどこしはじめた。それだけにベトンも生乾きであり、砲塁も、港内で錨《いかり》をおろしたままでいる旅順艦隊の艦砲をはずして据えつけたりして、すべてが急造であった。

そこへ、前記第一師団の右翼が攻めかかり、そのいわば戦略的には試行のような攻撃が、ステッセルを大きく刺激した。かれは日本軍がついにこの弱点に気づいたと思い、要塞本部から援軍をぞくぞくと繰り出し、その防備を厳重にした。そこへ第一師団の一部が攻めかかり、夜襲につぐ夜襲をくりかえして一時、その一角にとりついたが、すぐ逆襲されて奪還《だっかん》され、戦闘四日目には銃をとれる者がまれになり、攻撃続行の能力をうしなった。

その後しばらく乃木軍は息をひそめた。生きた将士と弾薬の補充を待たねばならない。それを、満州総軍（正称は満州軍）に要求しなければならない。現状では手持ちの弾数は、大砲一門につき、野砲百一発、山砲百三発しかなく、せめて一門に三百発ふやしてほしい、というのが要求であった。

が、この要求に対し、総軍幕僚も大本営の幕僚も、冷淡であった。

「ない」

というのが、その返事であった。すでに第三軍幕僚は全陸軍の参謀から札つきの無能ぞろいとあつかわれており、一部で乃木希典の罷免《ひめん》やその幕僚陣の総入れかえの声も高まりはじめている。

「ない」

というのは、むろんそれが事実であった。児玉は、砲弾をもっていなかった。第三軍をのぞく満州総軍は沙河の会戦で激闘をくりかえしており、その主力会戦においてすら砲弾が欠乏しきっていた。しかしその物理的現況を回答するにしても表現の仕方があったであろう。児玉が乃木のもとにやった回答の文章は、「当分補給不可能、攻撃延期モヤムナシ」という突きはなしたような表現であった。乃木希典の苦渋《くじゆう》はこのころから深くなっている。

が、十月に入って砲弾不足のまま総攻撃を再開した。肉弾を主力とするものであった。この攻撃では、ふたたび二〇三高地を攻撃目標から外し、最初から乃木軍の執念のようになっている東鶏冠山堡塁を中心に、松樹山堡塁、二竜山堡塁など、この旅順要塞前面における最強の防禦線にとりついた。作戦は、もとにもどった。乃木軍は十月二十六日から四日間砲兵をもって敵堡塁を制圧しつつ同三十日から歩兵の肉弾突撃を開始し、攻撃は二日にわたった。が、第九師団の一戸《いちのへ》旅団が旅団長以下旅団ぐるみ突撃してようやく一堡塁をとったほか、他は敵の銃砲火のためにいたずらに流血し、死傷は三千八百三十人にのぼった。攻撃続行の余力をうしなった第三軍は何度目かの攻撃中止命令を前線へ出さねばならず、その司令部伝令さえ途中つぎつぎに死に、つづいて師団司令部や大隊本部の伝令が戦線を駆けまわったが、しかし敵の砲火はそれら伝令の生存をゆるさず、ある乗馬伝令は馬に乗ったままの姿で二百米も上空にはねあげられ、別な伝令のばあいは不発砲弾とともに地に突きさされ、手首だけが地上に出ていた。かろうじて連絡すべき部隊に到着した者も、部隊そのものがことごとく息絶えていたりした。

七

旅順は、陥ちない。

乃木希典はこの後方の柳樹房《りゅうじゅぼう》の民家に起居していたが、神経が憔悴《しょうすい》し、極端な不眠症になやまされた。この惨境から自分を救いだす方法は旅順を陥すこと以外になかったが、その方法をかれの伊地知はみつけることができず、岩壁に鶏卵を投げつけるような流血の作業をまるで憑《つ》かれた者のようにくりかえしていた。

「元来、種々ノ評判多キ司令部ナレバ」

と、参謀本部次長の長岡外史が、満州総軍参謀井口省吾少将へ長文の電報を送っている。評判というのはその信じられぬほどの無能と上級機関の助言にいっさい耳を傾けぬ頑固さということであろう。大本営のなかには乃木と伊地知で構成している第三軍司令部を復員解散させ、人事を一変させてしまおうという意見も有力になりつつあった。そうなれば乃木は自殺するにちがいない、しかし、自殺させよ、戦局の危機を救うために乃木を殺すこともやむを得ない、ということであった。大本営の長岡外史は、「司令部内ノ空気ヲ清メ、一方ニハ新鋭ノ兵力ヲ呼ビ寄スルコト必要ナリト断定ス」と、満州総軍に打電している。これらの空気は、柳樹房の民家にいる乃木の耳にも入っていた。さらには内地から毎日束のようにして送りこまれてくる非難の投書が、乃木の神経をおびやかした。乃木はもともと死のなかに唯一の華やぎを求める思想家――それも士規七則的な――であり、死を美として感じてはじめて自分の生を肯定できる底《てい》の行者であったが、この旅順の柳樹房のときほど死への焦《こが》れをもったことはなかったであろう。ほどなくかれの次男である保典《やすすけ》少尉もかれの担当戦場で死ぬが、乃木は自分の生命の延長としての息子の死を、自分の美的世界に組み入れることによってよりふかぶかとその行《ぎょう》をふかめるといった質の精神のなかに生きていた。乃木は、戦場での死を求めるようになり、しばしば戦線視察に出ようとし、出れば不必要なまでに進出し、わざと敵の飛弾を浴びようとした。その乃木の挙動に副官たちは異常さを感じ、現場で制止したり、監視したりした。そういう監視が、副官としての主要業務になった。戦局の後半、東京から赴任した高級副官の塚田清市中佐などは赴任にあたって陸相の寺内正毅《まさたけ》から「貴官のしごとは乃木を死なさぬことである」とすら念を押された。しかしながらその能力をもって戦局を回転できぬ乃木にとっては死ぬこと以外に道はなく、またそのこと以外にこの深刻な不眠症から解放される方法もなかったにちがいない。柳樹房の支那民家は日光の射しこむことがとぼしく、その暗い室内で、日中、乃木は半覚醒状態の行者のように目ばかりぎらつかせてすわっていた。その作戦は、通路の土間一つをへだてた向いの部屋に起居している伊地知が進めていたが、腕力戦以外の作戦を思いつくことができない。この時期、乃木は伊地知が考えている作戦案が腕力戦のみを押しすすめるらしいことは気づいていた。そのことばも、その脳裏にうかんでいた。かれは戦いがおわった直後、陸相の寺内に出した手紙に、「無智無策ノ腕力戦ハ、上《かみ》ニ対シ下ニ対シ、今更ナガラ恐縮千万ニ候」と書いている。自分のやっていることが何事であるかがわかっているだけにつらさが深かったであろう。

しかしながら、乃木と伊地知は、なおも二〇三高地に攻撃の主眼を置こうとはせず、頑固に最初の強襲攻撃の方針をすてず、連日おびただしい死を累積させつつあり、そういう乃木や伊地知のすがたは、冷静な専門家の目からみれば無能というよりも狂人というにちかかった。

この乃木と伊地知の局面を救ったのは、かれら自身の能力ではなく、その力はまったく別な方角からきた。

東京であった。参謀本部次長の長岡外史がある日陸軍省をおとずれ、砲兵課長の山口勝大佐に面会した。その課長室は狭く、暑くるしく、呼吸することさえ大儀だった。その部屋へ偶然、陸軍審査部長の有坂《ありさか》成章少将が雑談のために来合わせていた。

有坂成章は岩国吉川《きっかわ》家の家士の出身で、いわゆる長州人であった。維新後陸軍に入ったが実戦には参加せず、とくに技術を専門とし、火砲の研究と開発にその異能ぶりを発揮した。

「作戦に口出しするようだが」

と、この天才的な技術将校はいった。いまの大砲ではとても旅順要塞は陥ちない、永久に陥ちないだろう、というのである。有坂のいうには、「要塞を陥すのは、ごく簡単な物理学知識が必要である。要塞というのはそのぶあついベトンを割らねば陥ちない。ベトンを割るにはそれだけの砲が必要である。私の計算では旅順の一米三十のベトンを割るには最低二十二珊《サンチ》の口径の砲が必要だ。それをもってゆけば陥ちる」

「二十二珊砲など、ないではないか」

「あるさ」

と、有坂はいった。二十二珊どころか、二十八珊砲が日本にある、というのである。東京湾観音崎砲台にそなえつけられている特殊海岸砲であった。

大砲のなかの巨人といっていいだろう。明治十六年、イタリアから購入したものを大阪砲兵工廠で有坂みずからが研究し、国産化したもので、明治二十年、制式砲として観音崎砲台の備砲になった。固定式の砲床で、その上部構造は三百六十度の回転能力をもち、四方に対して射撃することができる。それに他の野砲や山砲よりも機能として新味をもつ点は水圧駐退機《ちゅうたいき》がそなえられているところであり、これによって射撃後、砲身はゆるやかながらも自動的にもとにもどることになっている。

しかしながらなんとしてもこの二十八珊榴弾砲《りゅうだんほう》はその砲一門そのものの機構が鉄製の城塞のように巨《おお》きく、原則として移動は不可能とされ、もし移動するとすれば、その据えつけの工事（おもに砲床の基礎工事）だけで一カ月以上かかるとされていた。

「それをもってゆけばよい」

と有坂はいったが、長岡外史らはくびをひねった。移動と敷設が可能であろうか、ということと海岸砲をとり去ったあとの砲台をどうするかということであった。が、有坂はその点をすべて解決した上でこの案を勧めており、こまごまとその詳細を説明した。なるほど敷設に日数がかかるが、その日数の多くは砲床のベトンの乾きを待つことで費やされる。その砲床構築班をすぐ今日にでも先発させておけば日数の節約になる。工事の遅速は工事監督者の指揮能力によるが、砲床構築には横田穣大尉を派遣しよう。おそらく砲が到着してから十日で第一発を射てるだろう、と有坂成章はいった。

「しかし、かんじんの乃木閣下と伊地知は受けるかどうか」

と、長岡は不安がったが、技術畑の有坂は、そういう人事面のことについては沈黙していた。長岡は、それをすら第三軍司令部が阻《はば》むなら、もはやかれらはその無能と固陋《ころう》の性格によって露国を利しているだけの存在になる、とおもった。長岡はすぐ参謀総長の山県有朋に許可をあおぐと、「有坂がいいというのなら技術上のまちがいはあるまい」と賛成した。

長岡外史は、東京からその旨の長文の電報を満州総軍総参謀長の児玉源太郎あて打った。第三軍の説得と敷設場所を早くきめよ、ということを依頼した。児玉はすぐ応じ、その第三軍への連絡のために福島安正少将を乃木のもとに派遣し、すくなくともこの二十八珊砲据えつけが第三軍によって邪魔されぬように気をくばった。福島はそのまま目付役として柳樹房にとどまった。

砲の輸送その他は円滑にすすみ、九月十四日現地に到着し、そのあとわずか九日で備えつけを完了し、九月三十日午前十時、その第一発が東鶏冠山にむかって撃ちこまれた。さらに椅子山、松樹山、二竜山などにつぎつぎと撃ちこまれた。

この砲の出現とその咆哮《ほうこう》ほど、金州半島の天地を震撼《しんかん》させたものはなかった。その巨弾は天をゆくとき、轟々と音をたてた。その異様な唸《うなり》は旅順要塞の後方の旅順市街にもきこえ、初弾のときなどは官舎街の女たちがみな路にとびだし、ステッセルでさえなにごとがおこったのかと館内からとびだした。やがてそれが要塞に命中して爆発したとき、その震動のために司令官官舎のシャンデリアが落ち、床の上にくだけた。旅順におけるロシア人たちへの心理的影響の大きさは有坂の予想をはるかに上まわった。

その命中精度も高く、破壊力は他の群小砲熕《ほうこう》の比ではない。

第三軍司令部は、最初、東京が予想したとおり、このあたらしい兵器に対してひどく冷淡で、乃木は首をかしげるのみであり、伊地知は砲兵科出身だけに専門的知識をもってこの砲が無用の長物であるとした。が、総軍からきた福島少将の手前もあり、積極的には反対しなかった。

東京も、第三軍に対して慎重であった。最初、試験として送り、その砲数も六門しか送らず、あと十二門は様子を見て送ることにした。六門ではいかに砲そのものに威力があろうともその戦略効果はすくない。

が、第三軍はさすがにこの砲の威力の大きさを認めざるをえなくなり、積極的にこの威力を作戦構想のなかに加えようとしはじめた。「さらに送ってくれ」と、かれらは東京へたのんだ。すでに後続の砲は解体されて船に積まれており、現地からの要請があり次第、出港できるだけの手はずがととのえられていた。

が、乃木ら攻囲軍の司令部はなお二〇三高地を攻めようとせず、そのために海軍側がいらだった。バルチック艦隊の回航がちかいというのに第三軍は敵要塞の外囲いの正門を素手でたたいているだけであり、このままでは日露戦争そのものが敗北になってしまうであろう。

海軍が焦躁し、大本営が現地軍を罵《ののし》り、満州総軍が何度も示唆《しさ》したが、第三軍はがんとしてその作戦を変更しようとはしなかった。「このままでは日本はほろびる」と、東京の若い幕僚はさわいだ。ついに乃木罷免《ひめん》内案が東京から満州総軍司令官大山巌あてに出された。が、大山はそれを黙殺した。いまさら第一線司令官を変えれば士気に影響し、いよいよ旅順は奪《と》りにくくなるであろう。

しかし一国の存亡のためには捨てても置けず、総参謀長の児玉源太郎に相談した。児玉はすでに決意していた。

「私がやりましょう」

と、児玉はいった。全戦線の作戦首脳であるかれがその席を空《から》にして旅順に専念しようというのであった。大山は当惑した。いま児玉に抜けられれば主力戦の成否に大きくひびくであろう。が、旅順を乃木と伊地知にまかせるかぎり、国家そのものが亡びるかもしれなかった。

「それならば、児玉サンに頼みましょう」

と、大山はそれのみを言い、乃木とその幕僚に関する論評はいっさいいわなかった。児玉は出発にあたっていま一つ大山に頼まねばならない。

児玉にすれば乃木を押しのけて自分が指揮をとるとなれば現地司令部の抵抗が大きいにちがいなく、その抵抗があれば児玉の独断専行はできなくなり、作戦遂行は不可能になる。

児玉が大山に要求した秘密事項というのは、乃木とその幕僚が自分の指揮をこばんだばあい、即座にかれらの機能を停止させる権能がほしいということであった。大山はやむなくそれを承知した。

児玉は、大山総司令官代理という全権代行の特別資格を帯び、煙台の総司令部を出発した。

途中、児玉は乃木についての感慨が去来したであろう。若いころ、熊本籠城戦のときも参謀として野戦の乃木を何度かたすけ、乃木が植木坂で軍旗をうばわれたあと、その過失を上級者にむかってかばい、あるときは乃木が自殺せぬよう同室で寝て監視した。乃木の半生をながめるに、乃木ほどその性格が軍人らしい男はなく、同時に乃木ほど軍人の才能の乏しい男もめずらしい。それに乃木ほど勝負運のわるい男もめずらしいであろう。

――おれが感じている乃木の魅力も、あるいはそういうところにあるかもしれない。

と、児玉はおもったかどうか。たとえば虚弱で薄命な美人が佳人といわれるにふさわしいように、つねにあぶなげな、つねにうすい磁器のようにこわれやすい運命を背負っている乃木に、それに似たような機微と美しさを児玉は感じてきたようにも思われる。児玉が乃木をかばいつづけてきた歴史もすでに四半世紀を越えてきた。しかし同時に乃木の無能を児玉ほど知っている者がなく、それもあって開戦後、第三軍を創設するにあたってその司令官に乃木がえらばれたという人事には児玉は関与していない。もしあの時期、児玉に自由な人事権があったとすれば、かれは決して乃木をえらんでいなかったであろう。かれはこの友人の無能を知っていた。

児玉はこの第三軍への出発以前に、かれらを説得してようやく彼等の攻撃の主力を二〇三高地にむけさせることに成功していた。第三軍はあらたな行動を開始していた。

児玉は汽車に乗った。汽車――といっても児玉が乗った車輛は有蓋《ゆうがい》の貨物車だったが――はスムーズには進行しなかった。そのレールが寒さのために凍結し、車輪がすべり、おなじく寒さのためにピストンが折損したりして、しばしば停車した。遼陽《りょうよう》を経て深夜に金州駅に入ったとき、駅に児玉あての暗号電報が入っていた。総司令官からの電報で、児玉はその暗号を随行の田中国重少佐に翻訳させたところ、二〇三高地が奪れたという。児玉は帽子をはねあげて、子供のようによろこんだ。その朝、児玉は携帯してきた葡萄酒で田中と乾杯し、まさにフォークをとろうとしたとき、別の報告が入った。「いったんは奪ったが、敵の逆襲に遭い、ふたたび追い落された」という。児玉は激怒し、フォークを投げた。

（それが、乃木だ）

と、ののしりたかったであろう。乃木はいつのときもこうであり、かれが成功したいくさといえば日清戦争のときシナ兵がほとんど戦わずして逃げたときだけだったではないか。児玉は目の前の田中国重に対し、それが乃木であるかのように激しく当った。洋食皿が割れ、朝からこんな馳走を食っていられるか、田中、おまえが食え、といった。これが、青泥窪駅通過のときであった。やがて柳樹房駅に降り、第三軍司令部に入ると、かんじんの乃木がいなかった。戦線視察中であるという。児玉は執務中の伊地知に大喝し、まず司令部が二〇三高地の戦場から後方にありすぎる、と叫んだ。事実、第三軍司令部の所在地は過去において数回かわったが、つねに戦場から遠すぎた。遠すぎる利点としては将領の安全ということのほか、参謀たちは戦闘の苛烈さを直接感ずることなしに冷静な作戦をたてることができるということもあるが、逆にいえば戦場の現実から遊離してしまうおそれがある。児玉は鼻を鳴らし、ボタンをはずし、地図をのぞきこみながら、伊地知の作戦をいちいち論難した。伊地知も反論し、ついには階級の上下をわすれ、児玉の肉を啖《くら》おうとするまでに伊地知は感情的になった。伊地知の憤懣《ふんまん》はつねにただ一つであり、砲弾がおもうようにならぬということであった。

「砲弾もあたえられずにいくさができますか」

「あるじゃないか」

児玉は、洟《はな》をすすりあげてのみこんだ。砲弾の絶対数が足りないのは全戦域にわたっての現象であり、旅順だけの苦痛ではない。この不足現象のなかではむしろ旅順は優遇されているのである。

（こんなやつと話していても仕様がない）

乃木に会おう、と児玉は柳樹房の家を出た。司令部付の曹長が、児玉の軍帽をもって追っかけてきた。児玉はそれを頭の上にのせた。帽子の庇《ひさし》が、腕白小僧のように横っちょになっていた。天は青かったが、乾いた粉雪がふりはじめており、雪は地に落ちるとそのまま氷になった。もはや十二月に入り、作戦にとっておそるべき冬が戦場に来てしまっている。満州の冬は土を凍らせ、地表から地下数尺までが硬質ゴムのようにかたくなり、工兵作業でツルハシをふるっても柄《え》が掌にひびくだけであったし、砲弾をもってしてもえぐれず、砲弾を避けるための壕も容易に掘れない。児玉はこの冬をおそれ、そのためにも攻略の遅延にいらだっていた。しかし天地はもう冬になってしまっている。

児玉は、戦線のあちこちで、乃木をさがした。柳樹房で待っていても乃木は帰ってくるだろうが、しかし待てるような戦況ではなかった。児玉が待っているあいだにも、一時間に数百人のわりあいで日本人はロシア人に殺されつつある。

「伊地知ではむりだったのだ。乃木が可哀そうだ」

と、児玉は馬を粉雪のなかに駆け入《い》らせながら、かれのただ一人の随員である田中国重少佐にむかって叫んだ。少佐は叫びかえしたが児玉の言葉が聞きとれず、やむなく馬をあおってちかづいてきた。

「あいつには、ヨーロッパ人が何者であるかがわからん。シナ人同様におもっていたのがあいつの作戦の根本のあやまりだ」

と、児玉はいった。この戦争の初動作戦の一つである第二軍の金州、南山攻めで奥保鞏《やすかた》が費消した弾量だけで日清戦争の全期間の費消量を越えてしまっており、これには大本営も狼狽した。これほどの物量を使用せねば対抗できぬ相手であるとは、どの日本人も感覚としてはおもってもいなかった。ヨーロッパ人が感覚として日本人のなかに入ってきたのは、金州・南山の激戦によってであろう。ただし児玉にはその独特の直感で開戦以前からこの程度のことはわかっていたし、南山の報をうけたときもおどろきはしなかった。児玉はそのあと、旅順担当の第三軍が海軍からの重砲提供の申し出について冷淡であるというはなしをきき、乃木はともかく伊地知のあたまを疑った。南山の戦例からなんの感想も伊地知は持たなかったのかとおもった。

「伊地知ほど、ふしぎなやつもない」

と、児玉は粉雪のなかで叫んだ。田中国重が、またも聞きかえした。児玉源太郎によれば軍人の頭脳は柔軟でなければならず、あたらしい現象に対して幼児のように新鮮な目をもたねばならないということであったが、乃木と伊地知の組合せ《コンビネーション》はどうもそうではないらしく、いつまでも十年前の日清戦争であるらしかった。伊地知は軍部きってのヨーロッパ通であり、少将級ではもっとも留学期間が長い。しかしながら外国文字も読めぬ徳山毛利藩士出身の児玉のほうがあたらしい現実の理解度がするどいというのはどういうことであろう。将器というのは教育によるものではなく、ついにはうまれついての才能によるものであろうか。

巡視中の乃木は児玉が来ることを知って、土城子《どじょうし》で待っていた。が、どう入れち

がったものか、

――児玉ヲ待ツ。不レ来。（日記）

ということになった。乃木はやむなく山かげの攻城砲兵隊の司令部へゆき、そこで豊島《てしま》少将と昼食をとり、そのあと山を降りて柳樹房のかれの指揮所にもどる途中、曹家屯で降雪がはげしくなった。降雪が舞いあがり、進むことも困難になった。その曹家屯廃屋のむこうから外套《がいとう》の頭巾をかぶった将校が二騎、乃木にむかってやってきた。それが児玉であった。この邂逅《かいこう》は、劇的要素に富みすぎる乃木の生涯のなかでももっとも劇的なものであったであろう。乃木は相手が児玉であることに気づき、廃屋の土塀ぎわに馬を寄せ、風を避けつつ待った。

児玉は馬の脚をはやめた。児玉の馬はシナ馬でチョコチョコと気ぜわしく走った。かれは乃木のような駿馬を用いず、和洋雑種、馬格の小さな、あやしげな馬をいつも用いており、それが小柄であわて者で、どこか剽軽《ひょうきん》なこの天才の乗馬にいかにもふさわしかった。

「乃木か」

降雪をへだてて、児玉は叫んだ。乃木は馬上で小さくうなずき、厳正な挙手《きょしゅ》の礼をとった。しかし以前のように背骨がのびず、姿勢はこころもち前へ跼《かが》め、腸か胃かを無意識にいたわっているような、そういう加減になっている。三軍の指揮官たる者のもっとも肝要なことは、古来その馬上の姿勢であるとされており、つねに塑《そ》像《ぞう》のように端正であらねばならないが、乃木はそれを心得つつも肉体のおとろえがそれを許さなかったのであろう。

「乃木、おまえ、どこかわるいのか」

と、鞍を寄せてきた児玉はまずきいた。乃木は白い髭《ひげ》を笑《え》ませ、かぶりを振った。児玉はうなずき、

「話がある」

といった。柳樹房の司令部に帰るな、この辺で野営しよう、柳樹房に帰ればあいつがいるからまずい、と児玉は口ばやに言い、急に背をそらせ、あっはははは、と正体不明の哄笑《こうしょう》をした。乃木にはそういう児玉が迷惑であった。

「伊地知は、よくやっている」

と乃木はいった。児玉はそっぽをむき、鼻を鳴らし、「たれか、乃木とおれのねぐらを都合しろ」といった。児玉にすれば、乃木の将軍としての演技にかまってい

られない。

このあたりは通称高崎山《たかさきやま》のふもとになる。標高一六四米の無名高地で、この八月十九日の攻撃で高崎の歩兵第十五連隊がおびただしい出血のあげくに奪取した。

この高崎山の背後の窪地《くぼち》に歩兵第一師団（東京）、第七師団（旭川）の司令部があり、その他、攻城砲兵陣地などもこの付近におかれていた。

――ここがいい。

と、児玉が指さしたのは、背後斜面にある穴居人の住居跡《あと》のような小さな穴であった。後方へゆけばいくらでもかれらの会見にふさわしい建物はあるのだが、児玉は自分の指揮所をできるだけ前線に置くことをたてまえとしており、「この穴に、乃木とおれとが今夜からむじなみたいに入るのだ」といった。児玉にとってはその一言で柳樹房の司令部を否定したようなものであった。そのあと、かれらは曹家屯を出発し、馬をつらねて日暮れまで戦線を視察し、夕食は第一師団司令部でとり、わずかながら酒をのんだ。児玉は、たまたま来合わせていた内外の記者団をよび入れ、かれらにも酒肴《しゅこう》をあたえ、陽気に冗談をいった。乃木はアレさ、このようにいまでは口やかましい爺《じじ》ィになっているが、若いころは絹ずくめのぞろりとした奴だったのさ、と言うあたり、深川あたりの木遣《きやり》人足とかわらない。ちなみにこの時期、児玉は記者団——とくに外人記者団——に気をつかっていた。この八月の遼陽の戦いのときわが軍が勝ったにもかかわらず、その海外報道がきわめて日本軍に好意的でなく、報道は一見日本軍の負けであるかのごとく書かれたがために、ロンドンにおける日本政府の起債が困難をきわめた。この理由は日本の現地軍の各級司令官や参謀たちが無用の秘密主義をとり、外人記者たちに取材の便をはかることを吝《お》しんだためかれらの反感を買った。児玉は大いにこれを怖れ、参謀総長侯爵山県有朋の名で野戦軍の司令官や参謀たちに対し、「外国観戦員ニ対シテハイヤシクモ軍団ノ機密ニ牴触《ていしょく》セザル範囲内ニオイテ懇篤《こんとく》開濶《かいかつ》ヲ旨トセヨ」という訓令を発してもらったほどであった。

その夜、児玉と乃木とは、右の穴のなかにもぐりこんで語り合った。広さは畳二帖ほどしかなく、そこにアンペラと毛布を敷きつめ、小さな机を置き、頭上からカンテラを垂らした。この装置に児玉は満足し、「これでやっと水入らずだ」と、乃木にいった。乃木の生涯と日本の運命にとってもっとも重要な、もっとも言いづらいことを児玉はこの装置のなかでいわねばならない。

——このおれに、第三軍指揮の全権をまかせよ。

ということであった。もし乃木がことわるならば、児玉は大山巌の密書をとりだし即座に乃木を馘首《かくしゅ》して自分が第三軍の司令官代理にならねばならなかった。児玉はその癖で栗鼠《りす》のように小首をかしげ、何度も乃木の顔をのぞきみつつ、

「どうだろう」

といったであろう。その情景は推測するほかなく、ついに両人とも墓場へゆくまでこれについては口を閉ざした。ただ明白なことは児玉が多くの言葉を費やすまでに乃木が児玉の提案を受け入れたことであった。この瞬間以後、旅順攻略の指揮権は陸軍大将男爵児玉源太郎に移り、乃木はそのおもてむきの表徴となり、伊地知参謀長以下はその作戦機能を停止させられたことになる。

この児玉と乃木の穴居会談はよほど内外記者団を刺激し、かれらは早暁から起きてこの穴のまわりにあつまり、児玉と乃木が起きてくるのを待った。

やがて児玉が小動物のように這《は》いだしてきて穴の前に立ち、いかにも愉快げに哄笑し、「なんの、重要な話なんぞは出なかった。昔語りをしていたのさ」と笑いながら帽子を頭にのせた。しかし記者団はそれだけではおさまらず、さらに質問すると、

「乃木の寝屁《ねべえ》は格別の臭味じゃったよ。わが輩の苦戦は二〇三高地にまさるものがあったな」

と、頭を激しくふりながら笑ったため、記者団はそれ以上に追求しなかった。が、旅順攻略の様相はこの児玉が穴から這い出てきたとき以来一変したといっていいであろう。

児玉は、第三軍に常駐した。かれはその駐在第二日目に危険を冒して標高一六四米の高崎山の山頂にのぼり、二〇三高地の戦況をみた。稜線の草の上に伏しつつ眼鏡でのぞくと、ひどく簡単な構図——敵の火線についての——がわかった。二〇三高地の斜面にとりついている日本軍歩兵が、砲弾が落下するごとに消えてしまうが、その砲弾のうちもっとも巨大なものは敵の鴨湖嘴《おうこし》砲台と北太陽溝《ほくたいようこう》砲台から射ち出されてくることがわかった。

「なんだ、あれを潰《つぶ》せばいいじゃないか」

と、児玉はいった。背後にいる攻城砲司令官豊島《てしま》陽蔵少将は眉をひそめ、そうは参りませんよ、射角がうまくゆきませぬ、というと、児玉は、

——大砲の射角なんぞはすぐ変えられる。砲兵陣地そのものを移動すればよいではないか。

といった。豊島は、いまさら重砲を陣地変換することは困難です、というと、児

玉は、噴きだした。軍人というのはいったん腰をすえた作戦観念や地理的場所から容易に抜けだすことができない職業人だということを、児玉はどよく知っていた者はなかった。「いくさは、勝つためにするんだぜ」と、児玉は愛嬌よく笑い、豊島をからかった。「大砲の玄人ほどそんなことをいうのさ」ともいった。ちなみに例の二十八珊《サンチ》榴弾砲が内地からやってくるときも、現地の第三軍における砲兵指揮官であるこの豊島がもっとも冷淡であった。「砲床のベトンが乾くのに一カ月か二カ月かかるというのに、そういう馬鹿なものをもってきても間にあうものか」と言い、乃木をしてそう信じさせたのもこの豊島であった。

児玉は、それを知っている。すぐ地図をひろげ、豊島につきつけた。

「すぐ攻城砲の陣地変換をするのだ。場所はどこがいい」

と、地図のほこりをいそがしくはらいつつ豊島に赤鉛筆を渡した。「赤鉛筆ならあります」と、豊島は不機嫌な顔でいった。

結局、砲兵の大規模な陣地変換がおこなわれることになり、豊島はそれをやった。作業は大いにはかどり、陣地変換についての日数は、十二月三日から四日にかけての二十数時間でしかなかった。あらたな陣地についた砲は、十二珊榴弾砲十五門と九珊臼砲《きゅうほう》十二門で、これをもって前記二つの砲台の撲滅に専念させた。一方、第三軍があれほど冷淡にあつかった例の怪物——二十八珊榴弾砲——は児玉の常駐とともに十八門にふえており、この砲のすさまじい咆哮と威力はつぎつぎと敵要塞をくだきつつあった。

かつ、児玉はかれ自身の直属として新着の歩兵第十七連隊（弘前の第八師団。秋田）を金州湾上陸早々におさえて握っており、いざとなれば切所《せっしょ》にこれを出すつもりであった。

攻城砲の陣地変換による射撃効果はすぐあらわれてきた。十二月四日いっぱいの猛射によって敵の鴨湖嘴砲台は沈黙し、北太陽溝砲台のみがわずかに射撃をつづけているにすぎない。翌五日の朝九時、砲兵が発射した最後の一弾に膚接《ふせつ》させせつつ、児玉は歩兵の突撃を命じた。この歩兵による決死隊攻撃は斎藤太郎少将が白刃をきらめかせて指揮した。この決死隊は三十人ずつに区分けされていた。その上、山にのぼるに間隔をおかせた。この方法も従前にはなかった戦法であり、児玉が案出した。このために敵の砲撃や機関銃連射による被害をすくなくした。その先発決死隊——歩兵第二十七連隊第三中隊の一部——は軽微な損害をうけつつ西南部の山頂の稜線にとりつき、そこで地を掘って防禦工事をした。が、すぐ敵の逆襲をうけ、すさまじい白兵戦がくりかえされた。この間《かん》も例の二十八珊榴弾砲は敵の側防《そくぼう》砲台に対し間断なく制圧射撃をくわえ、わずか三十時間ほどのあいだに二千三百発、鉄量五百トンを射ちこんだ。それでもロシア軍はつぎつぎに兵員を補充してこの高地を死守しようとしたが、及ばなかった。歩兵第二十八連隊第一中隊がいま一方の東北部の山頂も占領し、ついに六日午前八時、全山を日本軍が占領した。日本軍の死者は三千百五十四人であり、ロシア軍のそれは五千三百八十人であった。とにかく児玉の指揮に入って以来、一昼夜の歩兵戦闘のあげく、ついにこの山を奪《と》った。児玉はすぐ有線電話をもって山頂の将校をよびだし、

「旅順港は見おろせるか」

ときいた。その返答ほど児玉にとって感動的なものはなかったであろう。「見おろせます」と、その受話器が叫んだ。「すべての軍艦が見おろせます。みな錨《いかり》をおろして動く気色もありません」と、ひきつづき叫んだ。児玉は送受話器をおろし、かたわらの田中国重少佐と海軍の連絡将校を等分に見つつ、「すぐ観測隊をして山頂へ進出せしめるように」と命じた。これが児玉のこの旅順攻囲軍における最後の命令になった。

山頂占領後一時間経ってから山頂観測隊が活動しはじめ、碾盤溝《てんばんこう》から射ち出す二十八珊榴弾砲の射撃を誘導しはじめた。ほとんど二階から石臼をおとすほどの容易

さでその射撃は進行し、港内の戦艦ポルターワ、レトウィザン、ベレスウェートなどの諸艦はつぎつぎに撃沈され、その総計約十万トンの各種軍艦のうち戦艦セバストポールだけはわずかに港外へのがれたが、包囲中の東郷艦隊の水雷攻撃のために撃沈され、ロシア側はその旅順艦隊のことごとくを五日間のうちにうしなった。東郷艦隊はこれに安堵し、やがて到来するであろうバルチック艦隊への迎撃準備のために旅順港外の包囲戦務から解放され、全艦を補修すべく佐世保へ去った。

ロシア側の旅順要塞司令官ステッセルにとっても、この結末は、その戦務からの解放を意味したであろう。なぜならば軍港における陸上要塞は港内の艦隊を抱きまもるためにあるのだが、その守る艦隊が港内の海底に沈んだ以上、これ以上の流血防衛はその第一義的な目的をうしなったことになる。それに二〇三高地の喪失以来、旅順の市街地にも日本人の砲弾がたえまなく落下し、兵員も市民も逃げ場をうしなった。そのあと二十数日を経てステッセルは降伏開城を乃木のもとに申し入れた。

この時期には児玉はすでにこの第三軍から姿を消していた。かれは二〇三高地陥落後四日目に当地を去り、満州における総参謀長としての本務にもどった。かれがやらねばならないのは、旅順などよりも北方戦線におけるクロパトキンとの決戦であった。

児玉が去ったあとの旅順では、開城についての両軍委員による事務折衝が明治三十八年正月二日の午後、水師営の民家においておこなわれた。日本軍の委員は伊地知幸介であり、ロシア側はレイス中佐であった。

ついで五日、乃木大将をして永久に歴史にとどめしめた水師営の会見がおこなわれた。乃木は降将ステッセル以下に帯剣をゆるし、またアメリカ人映画技師がこの模様を逐一《ちくいち》映画に撮ろうとしてその許可方を懇望してきたが、乃木はその副官をして慇懃《いんぎん》に断らしめた。敵将にとってあとあとまで恥が残るような写真をとらせることは日本の武士道がゆるさない、というものであり、このことばは外国特派員のすべてを感動させた。しかしながら、かれら特派員にとって必要なのはこの降伏の写真であり、かさねてそれを懇望した。乃木はついに、「それならば会見後、われわれがすでに友人となって同列にならんだところを一枚だけゆるそう」という返答をした。この場合、この許可のいきさつそのものが特派員たちにとってニュースであり、かれらはそれぞれ感動的な電文をつづってその本国へ打電した。乃木の名は世界を駆けめぐり、一躍、日本武士の典型としてあらゆる国々に記憶された。もし児玉が乃木の位置にいたならばこれほどの詩的情景の役者たりえなかったであろう。乃木は独逸《ドイツ》留学以来、軍事技術よりもむしろ自分をもって軍人美の彫塑をつくりあげるべく、文字どおりわが骨を鏤《きざ》むがような求道の生活をつづけてきた。乃木のその詩的生涯が日本国家へ貢献した最大のものは、水師営における登場であったであろう。かれによって日本人の武士道的映像が、世界に印象された。

この評判は、あるいはかれとかれの参謀たちを救ったことになるかもしれなかった。大本営内部や満州軍の高級幕僚のあいだでは、この旅順攻囲戦が終結しだい、乃木とその幕僚は更迭《こうてつ》されてしまうだろうという観測が圧倒的であった。が、乃木はその軍人としての最大の恥辱からまぬがれた。それをまぬがれしめた理由のひとつは明治帝の乃木に対する愛情であり、ひとつには陸相寺内、参謀総長山県の長州人としての友情であり、いまひとつはもし乃木を旅順攻略後に罷免《ひめん》するとすれば旅順における日本軍の戦闘が、最後は勝利をおさめたとはいえ、その途上において記録的な敗戦をつづけたということを世界に喧伝する結果になり、外国における起債にひびくことはあきらかであった。このため、乃木と伊地知以下の人事は国際信用のためにもさわることができなかった。

乃木とその幕僚、および第三軍は、旅順陥落後は軍命令により、北方戦線に転ずることになった。ただし途中、伊地知のみは他の者と交替した。乃木にとって不幸だったのは、このあたらしい参謀長の小泉正保少将は着任途上列車から落ちて負傷し、かわって松永正敏少将が着任したが、この松永も重症の黄疸《おうだん》で、赴任早々寝台から離れることができず、かれ自身も後送されることをきらい、北上の徒歩行軍中は担架で運ばれてゆく始末であった。めざすは奉天大会戦であり、乃木軍はその所定の――明示はされていないが――戦線にまで進出せねばならなかった。途中、当時の日本軍の装備水準としても考えられぬほどの事故がおきた。第三軍司令部の有線電話が電線の風化損傷のために不通になり、総司令部とのあいだの連絡が杜絶《とぜつ》した。この総司令部の児玉にとっては乃木軍がこの満州のどこにいるのかわからず、一時は絶望し、かれらを作戦面から外して作戦を進めねばならなくなった。しかし他軍団はそれぞれ所定の戦線で苦戦中であり、児玉にとって、新手《あらて》の乃木軍の通信上の消滅は敗戦を意味することにすらなり、児玉は机に突っぷせながら、

「乃木が迷子じゃ。迷子じゃ」

と、泣くようにつぶやきつづけた。児玉と同様、大民屯・小民屯付近でさまよわねばならなくなった乃木も、一層に悲痛であった。まわりは荒涼たる戦野である。乃木は自分がどこへ行っていいのかわからない。乃木はついに非常の決意をした。

――孤軍、奉天ヲ衝《つ》ク。

というものであった。作戦的には無謀以上のものであったが、それ以外にないと

思い、その目的にむかって行軍を開始すべく隷下《れいか》各師団に命じた。が、幸い、十二時間ばかり経って隷下第九師団（金沢）が偶然裸線をもって架《か》けた電話が通じ、総司令部とのあいだに通話ができた。児玉はとびつくようにしてその受話器をとり、あらたな進出地を指示した。が、乃木側はすでに単独行動によって行動を開始しており、いまさら別な命令を出すことは困難な状況になっていた。児玉は頭をかかえた。しかし乃木軍が動きだしている以上、仕方がないであろう。

——乃木にはひきずられる。

と、児玉はこぼした。児玉はなににしてもその作戦の一部をあわてて修正しなければならなかった。そのあと乃木軍は他軍団と連繫しつつ戦闘行軍をかさねてゆき、やがて児玉の指示どおり奉天の西北方の地点に進出し、敵の背面をおびやかす態勢をとった。すでに全日本軍は四十里にわたって展開を完了し、各戦線においてロシア軍と激戦しつつあったが、砲弾がすでに払底し、勝敗は彼我《ひが》いずれともわからない。その時期にあって乃木軍の右翼には第二軍奥保鞏《やすかた》隷下の第三師団（名古屋）が張り出してきており、そのうちの歩兵第三十三連隊と同第六連隊とが第一線に進出し、李官堡《りかんぽ》の敵陣地を奪取した。ところが敵はこの方面にむかって逆襲を企図し、第六連隊を逆に包囲し、これを潰滅させてしまった。さらに歩兵第三十三連隊は連隊長（吉岡友愛中佐）も戦死し、ほとんど全滅に近い惨況を呈した。敵はその得意の騎兵戦法をもってさらに進撃し、乃木軍団の右翼を衝いた。そこに乃木隷下の後《こう》備《び》旅団がいたが、みるみる潰乱敗走し、旅団長友安治延みずから軍刀をぬいて自分の兵を斬らねばならぬほどに混乱し、敵の騎兵から逃げてきた連隊旗手が血まみれになって乃木の司令部にとびこんでくるといったほどの敗勢になり、乃木はこの立てなおしに熱中せざるをえなくなった。やがて敵が去り、敗勢から自然のうちに立ちなおったが、このため乃木軍の命ぜられた行動である包囲活動が大いににぶり、他軍団との歩調がそろわなくなり、ふたたび総司令部の児玉に衝撃をあたえた。児玉は憤激のあまり電話をとり、乃木をよびだそうとした。しかし乃木の参謀たちは両者の感情が無用に対立することをおそれ、参謀長松永正敏を病床から起して代理させた。児玉は「第三軍の攻撃がにぶい。もっと司令部は前線に出よ、前線で兵を督戦せよ」と連呼した。司令部が後方すぎるのは乃木軍の戦術上の癖《へき》のようになっていた。

が、この癖はあくまでも戦術的固癖らしく、乃木希典個人の勇気とはふしぎなほどに関係《かかわり》はない。乃木はこの日の一部潰乱をひどく恥じ、その数日後、大石橋《だいせっきょう》の司令部から単独で消えようとした。名目は単騎で前線視察をするというのだが、目的

文春文庫

Bunshun
Bunko

文藝春秋

は自殺であろう。幕僚たちがそれに気づき、総がかりで制止し、参謀長の松永も病床から這いだして諫止《かんし》し、やっと乃木を思いとどまらせた。乃木は自分の軍事能力に（あるいはその不運に）絶望するとき、つねに自殺を思い、自殺によって自分を恥辱から救いだし、別の場所で武人としての美の世界に入ろうとする衝動が、反射のようにおこるようであった。乃木はやがて奉天会戦が終結したあともこのときの潰乱をひどく気にし、それを胎中の苦渋とした。凱旋《がいせん》後、第三軍司令官として陛下に拝謁を賜わったあと、自分の戦闘経過を記述した復命書にも、「旅順ノ攻城ニハ半歳ノ長日月ヲ要シ、多大ノ犠牲ヲ供シ、奉天付近ノ会戦ニハ攻撃力ノ欠乏ニ因《よ》リ、退路遮断ノ任務ヲ全クスルニ至ラズ。又敵騎大集団ノ我ガ左側背ニ行動スルニ当リ、此《これ》ヲ撃摧《げきさい》スルノ好機ヲ獲ザリシハ、臣ガ終生ノ遺憾ニシテ恐懼《きょうく》惜ク能《あた》ハザル所ナリ」

と書いている。自分の屈辱をこのように明文して奏上する勇気と醇気《じゅんき》は、おそらく乃木以外のどの軍人にもないであろう。この復命書を児玉が私《ひそ》かに読んだとき、

「これが乃木だ」

と、その畏敬する友人のために讃美した。児玉にとって乃木ほど無能で手のかかる朋輩《ほうばい》はなく、ときにはそのあまりな無能さのゆえに殺したいほどに腹だたしかったが、しかし軍事技術以外の場面になってしまえば児玉は乃木のようなまねはでき

ない自分を知っていた。児玉ならばたとえ失敗して一軍を死におとしいれることがあっても、そのあとでこのように純粋な泣きっ面《つら》はできなかったであろう。これが乃木だ、というのは、乃木の美しさはそこだという意味であったように思われる。

しかしながら児玉は、その生涯の閉じ方はかならずしも陽気ではない。かれは日露戦争が終了した翌明治三十九年七月二十三日、原因不明の熱によりにわかに死去した。対露作戦で生命を消耗しきったためであろうといわれた。

乃木はその時期から数年生き、明治四十五年七月三十日、明治帝の崩御とともに死を決し、その大葬の日、東京赤坂区新坂町五十五番地の自邸で殉死《じゅんし》し、夫人静子もまたその夫の死に殉じた。

Ⅱ 腹を切ること

一

死は自然死であってはならないという、不可思議な傾斜が乃木希典においてはじまったのは、よほど年歴がふるい。かれは最後にその意思的な死を完成させるのだが、むしろこの傾斜がかれの生きつづけてゆく姿勢を単純勁烈《けいれつ》にささえていたともいえるのではないか。

かれは右のとおり、明治四十五年九月十三日午後八時、その自邸で自害した。妻静子も同時に死んだ。

妻静子はもとはお七と言い、結婚後静子とあらためたが、戸籍名はシチであった。

乃木希典が長州人であるに対し、彼女は薩摩藩士のむすめである。

お七のころの彼女は、のちの陸軍大将伯爵乃木希典夫人とはおよそ印象の符合しにくいむすめであったようにおもわれる。

彼女の実家は、湯地氏という。湯地家は、維新前は体面こそ上士であったが、故あって減禄され、十人扶持の奥医師ということになっており、文字どおり赤貧の家であった。しかしながら湯地家は薩摩の武家階級の家によくみられるいかにも南国ぶりのあかるさをもった家庭で、その点、観念主義的藩風とよくいわれる長州の武家階級の家庭とは、多少色あいのちがいはあるであろう。すくなくとも希典の父希次がつくった乃木家の家風とはおよそちがっていた。

彼女は、この湯地家の七番目の子としてうまれた。すぐ上の姉はお六であり、彼女は第七子であったためにお七と名づけられた。父定之は彼女が晩年に出生した末子であったため、その愛しかたはときに溺愛にちかかった。お七は子柄《こがら》の明るい子で、ひとによくなつき、兄姉や親戚のたれからも愛せられた。

湯地家というのは、多くの薩摩人の家々と同様、維新とともにその家運を好転させた。惣領《そうりよう》の兄の湯地定基が維新早々に藩費をもって米国に留学し、明治五年帰朝して新政府の官員になった。このため一家はあげて東京に転住し、お七は父にねだって麹町に創設されたばかりの麹町女学校に入学した。彼女は物学びのいい子で、薩摩にいたころ、鹿児島に新設されたばかりの女学校にも籍をおいていた。彼女に教育をつけることに熱心だったのは父よりもむしろ米国帰りの惣領の兄で、

——女子に教育のない国に文明はない。

という考え方をもっていた。お七はなによりも画才があり、彼女の父はその才能をのばさせようとした。父は彼女を女学校に入れるとともに絵師菊池某の塾にも通わせた。彼女はここで草花ばかりをかいた。粉本模写《ふんぽんもしや》にたくみで、模倣性のつよい絵だったが、描線に力があり、男のような線だといわれた。

いずれにせよ、鹿児島県士族湯地家にとって明治という時代ほどありがたいものはなかったであろう。その惣領の定基は郷党出身の大官である黒田清隆にひきたてられ、開拓使出仕になり、さらに根室県県令を経て累進《るいしん》し、のち元老院議官、貴族院議員に勅選《ちよくせん》されている。かれは昭和三年まで生きた。次男は海軍大尉で早世し、三男定臨は海軍機関中将にまで昇進した。

湯地家の鹿児島における家宅というのは城下新屋敷の低地にあり、溝も下水もなく、雨がふればつねに浸水するという建坪十五坪ほどばかりの陋屋《ろうおく》であったというが、明治五年十二月、一家が東京に出てきて買いとった赤坂榎坂の屋敷は旧幕臣松平日向守の旧邸であった。敷地は二千坪以上あるであろう。旧幕臣にかわってかれ

ら鹿児島系官員は東京におけるあたらしい山手階級を構成した。湯地家もそのうちの一例であり、長州閥に属する乃木家もそのうちの一例である。

お七と乃木希典のあいだに縁談がおこったのは明治十一年の初夏のころである。希典はこの当時陸軍中佐であり、すでに前年に西南戦争が終了し、かれは東京へよびかえされ、歩兵第一連隊の連隊長に補せられていた。齢三十という若さであった。隊務がおわると連夜、柳橋、築地、両国の料亭に入りびたっていたころであり、酒席では放歌喧噪し、帰宅するころはつねに前後もないほどに泥酔していた。しかし軍部ではむしろそういうかれに好意をもち、西南戦争における軍旗喪失事件の罪の呵責《かしやく》を酒で韜晦《とうかい》しようとしているのだろうと解釈し、同僚や下僚たちも当然そう見た。乃木希典にはどこかひとの庇護意識を刺激するものがあるのであろう。

――乃木の自責は、ほとんど病的である。ひょっとすると、東京で自殺するかもしれぬ。

と、かれの僚友の児玉源太郎などはしきりと言い、陸軍部内でも語り、乃木のこの当時の副官である伊瀬地好成大尉にも、乃木の挙動には注意をおこたるな、と耳打ちした。副官伊瀬地はそのように努めた。伊瀬地は自分の上官が熊本で何度か自殺をおもいたち、そのつど児玉から力ずくに制止され、ついに一時山中に失踪して断食死をくわだてたこともあるというはなしをきいていた。伊瀬地のそういう知識が、かれの乃木希典中佐を見る目を劇的にした。劇的といえば乃木希典はその生涯じたいがつねに劇的要素にみちていたが、しかし乃木自身がそうである以上にかれを見るまわりのひとびとの目がいっそうにその風姿《ふうし》を劇的に仕立てようとした。伊瀬地もそのうちのひとりであった。

その副官伊瀬地好成大尉が、乃木の母堂寿子《ひさこ》から、

「希典に嫁をもたせようとおもいますが」

と相談をもちかけられたのはこの年の春であった。母親の寿子の思案では、嫁さえもたせれば、希典はその沈湎《ちんめん》から立ちあがるであろうということであり、そのことを希典にも何度もすすめた。ところがある日、希典はふと、

「薩摩の女なら」

と、洩《も》らした。かれはこの時期、軍部内における薩長両閥の人事抗争にあきあきしており、長州人である自分がすすんで薩人の娘を妻にすれば無言の警告になるであろうとおもっていた。少年のような正義感であった。この老母は大いによろこび、それを希典の副官である伊瀬地大尉が乃木家を訪れたとき、ひそかに相談したのである。老母は伊瀬地好成が鹿児島士族であることを知っていた。あなたの旧藩の士

族のうち、どなたかお心あたりはございませぬか、とたずねたのである。伊瀬地はしばらく思案していたが、

「ないこともございませぬ」

と答えた。すでに伊瀬地の脳裏には湯地家の第七女がうかんでいた。

東京における新階級の世間はせまい。この伊瀬地はのち陸軍中将・男爵になる。旧薩摩藩時代は湯地家ととなり同士であり、しかもうすい血縁があり、そういう縁から東京転住後、両家は頻繁に往来していた。

「いかがでございましょう」

と、その湯地家のことを老母にいうと、老母は乗り気になった。相手は開拓使書記官であり、家格もつりあう。しかも当のお七は教育もあり、かつてある子爵家から懇望されたというほどに美貌であり、なにもかもがそろっていた。

このあと伊瀬地は湯地家に申し入れた。きわめて運命的なことに、お七は陸軍中佐乃木希典という人物を、垣間見《かいまみ》であるとはいえ知っていたことであった。このことが彼女の生涯を決定した。彼女が希典をみたのは、ほんのひと月ばかりまえのことである。

その日、五月十七日である。それより三日前に石川県士族島田一郎らが、参議大

久保利通の馬車を紀尾井坂で要撃し、刺殺した。この大久保の死は国葬をもっておくられた。この国葬の儀仗兵《ぎじょうへい》指揮官が乃木希典であった。儀仗兵は国葬のはじまる前、榎坂において堵列《とれつ》していたが、指揮官乃木中佐の馬上の位置がちょうど湯地家の門前であり、やがて葬儀の開始とともにかれは儀仗兵に号令をくだすべく姿勢をただし、指揮刀をぬいた。その馬上の姿を、邸内の菜園にいたお七の目は、生垣を通して十分にみることができた。

「あの方が、乃木さんです」

と、すでに他家に嫁いでいる姉のお六がお七にささやいた。乃木希典という軍人については当時の東京市民は西南戦争の錦絵をとおしてよく知っており、お六もその錦絵の知識でいったのである。錦絵ではむろん軍旗をうばわれた乃木希典としてはえがいておらず、植木坂の激戦における勇将としてえがいていた。お七にすれば歴史上の英雄をみたようなおもいもし、その英雄があまりに若すぎることにおどろきもした。

そういう記憶が、お七にある。

その記憶が、お七にこの縁談を承諾させ、彼女の生涯の運命をきめることになった。縁談の成立から結婚まで二カ月あまりといういそがしさだった。婚礼は明治十一年八月二十一日、乃木家でおこなわれたが、この日の希典の日記によると、大雨であったらしい。日記によればかれは婚礼の日であるというのに平常どおり出勤し、隊務をとり、教導団に人を訪ね、午後、山県卿を訪問し、帰路衛戍《えいじゅ》本部にゆき連絡事務を果たしている。日記では数行にわたってそれらのことを書き、最後に四字、

――本日婚儀。

とのみ書いているにすぎない。かれは婚礼の定刻から五時間以上遅れて帰宅している。日記の記載事項から察してもさほど火急の要務があったわけでもないのに、これほど遅れて帰宅しているのは、やはりこの人物らしい心の屈折から出たものであろう。含羞《がんしゅう》のはなはだしさということであろう。婚礼の礼式がおわり、祝宴になった。希典は来会した同僚たちと酒杯をかわして泥酔し、杯盤の散乱するなかに倒れ、ついに起きあがれなかった。気のつよい男ではなかった。

深夜に目をさまし、起きあがってお七をよび、「まずこの家の家風の厳格さを知るべきである。ついで困難なのは口やかましい母と心のまがった妹がいることだ。これではゆくすえ気づかわれるとおもうなら今夜、早々湯地家にひきあげるがよかろう」といった。希典が三十まで結婚しなかった理由のひとつはこのあたりにあったのかもしれない。

が、お七は否といった。事がここまできてしまった以上、彼女にあってはそれ以外にどういう態度もえらべるはずがない。さらに希典は彼女の名前のことをいった。鹿児島ならば知らず、この東京にあってはお七という名で連想される婦人の犯罪者が、江戸のころにいた。その連想がはたらく以上、軍人の妻としてふさわしくないであろう。ちなみに希典は静堂という号をもっていた。

「その静の字をやる」

といった。この夫婦はこのようにして成立した。

結婚後も、希典は毎夜泥酔して帰ってきた。三年のあいだに勝典と保典がうまれたが、このことはおさまらなかった。姑《しゅうとめ》はその罪を静子にあるとし、はげしくあたった。このため静子は心労し、一時期、希典の諒解《りょうかい》のもとに両児をつれて本郷湯島に別居をした。静子が二十九歳のとき希典は欧州差遣《さけん》を命ぜられ、彼女が三十歳のとき希典は帰朝した。この帰朝後、乃木希典は豹変し、別な男になった。このことについては前稿でのべた。希典は茶屋酒をやめただけでなく、帰宅後非軍人的な和服に着かえることもやめた。独逸軍人がそうであるように寝るまで軍衣軍袴《ぐんこ》をぬがず、寝てからも軍用の襦袢《じゅばん》、袴下《こした》をぬがず、さらにこの習性が昂《こう》じてくるとかれは寝ているときでさえ軍用のズボンである軍袴をうがっていた。かれはそれを自分だけの規律でなく陸軍の全将校の規律たらしめるよう陸軍省に上申したが、かれが考えている軍人の様式美についての意識は狭く強烈でありすぎ、宗教的ですらあったため陸軍部内で理解されず、不幸にも黙殺された。それ以後、かれはその規律を自分だけの閉鎖されたなかだけに通用するものとし、副官にすらすすめなかった。かれの相貌がどこか行者のそれに似はじめてきたのも、かれが極端な自律生活に入ったこの前後からであったかもしれない。

かれにおける自律というのはどういうことであろう。

結婚後二十年経ったころ、乃木希典は何度目かの休職ののち香川県善通寺の第十一師団師団長に補せられた。明治三十一年の秋である。希典は単身赴任した。夫人を東京にのこしたのは、二児の教育のためであった。

この善通寺師団は新設であったため、師団官舎がなかった。このことはむしろ希典をよろこばせ、

——これを機会に、戦時の暮らしをする。

と言い、善通寺村から一里ほどはなれた香川県仲多度郡竜川村の金倉寺《こんぞう》という寺院に、馬丁とともに宿営同然の暮らしをすることにした。戦時のつもり、とかれはいったが、この時期が戦時であるはずがない。しかしこの自律家にあってはそうい

う緊張を想定することでむしろ精神が安らいだ。かれの精神はつねに傾斜を必要とした。かれはこの金倉寺にあっては十畳の部屋を寝室にしていたが、寝具を用いず、昼間着けている軍服のまま畳に身をよこたえた。わずかに将校用毛布をかける程度でこの着任早々の冬季をすごそうとした。事実、そのようにすごした。この着任して最初の冬、それも大晦日の夜、にわかに妻の静子が、この寺にたずねてきた。希典の予期しないことであった。

この日、午後から雪が降り、静子はそれを避けるために紫ちりめんのお高祖頭巾《こそずきん》をかぶっていたが、寺の玄関でそれをとり、取りつぎに出た寺僧にむかい、自分は乃木の妻である、火急の用が出来《しゅったい》し、東京からやってきた、その旨を乃木にとりついでもらえませぬか、と鄭重に依頼した。寺僧は奇妙におもった。

希典は玄関のすぐそばの十五畳の間で書見をしていた。「どうぞ」と寺僧は、自分が取りつぐよりもそこへ通ってもらおうとした。しかし静子は希典の気質を知っていた。

いまは、夫の希典の規律によれば戦時であり、この寺は野戦の司令部であり、そういう想定がある以上、妻がたずねてくるべき場合でも場所でもない。このため夫の許可を得ねばならず、寺僧に取り次ぎをたのんだのである。

この当時、東京から四国の善通寺までの交通はよほど不自由であったし、そのうえ日が大晦日であり、それを押して彼女がわざわざやってきたについては手紙にも書きがたい事情がおこったからであろう。このことは家庭上の事件で、公務ではなかった。推察される事情は、当時、士官学校に入学したばかりの長男勝典の身におこったことであろう。当然、勝典は軍人を好まなかったらしく、休日に帰宅したまま学校に戻らなかった。軍法により処罰されねばならないが、静子はむしろこの勝典に同情し、説得するよりもむしろ退校させたいとおもった。このこと、筆者においては不確かであるが、とにかくこの大晦日、四国に来るというのは容易なできごとではなく、家長の希典の指示をあおぐ以外に方法のないできごとだったのであろう。静子はそのためにきた。

寺僧は、希典に取りついだ。希典はすでに玄関からきこえてくる声で静子の来訪に気づいていたらしく、すぐさまかぶりをふった。

——会わぬ。

というのである。寺僧がおどろき何度も念を押したが、希典の態度はかわらなかった。寺僧はついに玄関にもどり、静子にその旨を伝えた。静子はぼう然とし、やがて目をあげ、ひどく昂奮した表情を示したが、すぐその色を消した。しかし立ち去ろうとはしない。

この様子をきいて、金倉寺の老院主は希典の部屋にゆき、なかば怒気をふくんで取りなそうとしたが、希典の態度はすこしもかわらなかった。老院主は、「されば、夜でもある。雪も降っている。当山の離れに奥様をお泊めしましょう」というと、希典はそれでもなおもかぶりをふり、「そのことは辞退したい。御当山に女人を入れることはつつしまねばならない」といった。

結局、静子は多度津《たどつ》までひきかえし、そこで宿をとっている。この当夜、希典の高級副官である蘆原甫《あしわらはじめ》少佐がこの紛争をきいて金倉寺にかけつけ、希典と折衝し、深夜にいたるまで懇願しつづけ、ようやく明日この寺で面会するというところまで漕《こ》ぎつけた。翌夕、希典は静子に会っている。希典は自分の規律のなかに当然ながら静子をも同居させようとしていた。希典が彼女に面会を忌避した理由は、「自分の同意を求めることなく、この任地に突如きた。会う会わぬということよりそのことのほうが重大である」ということであり、事態の急よりもあくまでも形式の美しさのほうを希典はその妻に求めた。このいかにも劇的でありすぎる事件は、のち乃木希典が高名になってからこの土地のひとびとによって思いだされ、金倉寺境内の松に石碑をたてた。乃木将軍妻返しの松、というのが、その碑名である。

つねに、希典にあってはものごとが劇的なのである。日露役がおわり、希典は凱《がい》旋《せん》した。その凱旋行進が九月三十日、東京でおこなわれたとき、他の将軍たちは馬車ですすんだが、希典のみは馬車を用いることを拒絶し、それらの華麗な馬車が進行し去ったあと、かれひとり騎馬をもって行進の最後を、それも離れて進んだ。白《はく》髯痩身《ぜんそうしん》のからだを鞍に託《たく》し、背をやや前へかがめ、内臓の虚弱さをかばうがごとく手綱をあやつってゆく希典の姿は、希典の詩のなかでも傑作のひとつとされている七言絶句をそのまま詩劇のなかに移したかのようであった。詩に曰《い》う。皇師百万強虜ヲ征ス　野戦攻城　屍《しかばね》山ヲ作《な》ス　愧《は》ヅ我何ノ顔《かんばせ》アッテカ父老ヲ看《み》ン　凱歌今日幾《いく》人《たり》カ還ル。……この詩の作者としては二頭だての馬車の奥ふかくにおさまるべきではなかったであろう。単騎すすむことによって群衆のなかに身をさらし、刑場に曳《ひ》かれる者のごとく身を進めてゆかねばならぬであろう。希典はそのようにした。もし群衆のなかから石を投げる者があれば希典の美意識はあまんじてそれをひたいに受けたにちがいない。警吏がその者を捕縛《ほばく》しようとすれば希典は馬を寄せ、その警吏を物やわらかに制止したであろう。希典はこの詩の挿画《そうが》のごとく生きてゆこうとした。かれはもともと自分の精神の演者であった。

二

自分を自分の精神の演者たらしめ、それ以外の行動はとらない、という考え方は明治以前までうけつがれてきたごく特殊な思想のひとつであった。希典はその系譜の末端にいた。いわゆる陽明学派というものであり、江戸幕府はこれを危険思想とし、それを異学とし、学ぶことをよろこばなかった。この思想は江戸期の官学である朱子学のように物事に客観的態度をとり、ときに主観をもあわせつつ物事を合理的に格物致知《かくぶっち》《ち》してゆこうという立場のものではない。陽明学派にあってはおのれが是《ぜ》と感じ真実と信じたことこそ絶対真理であり、それをそのようにおのれが知った以上、精神に火を点じなければならず、行動をおこさねばならず、行動をおこすことによって思想は完結するのである。行動が思想の属性か思想が行動の属性かはべつとして行動をともなわぬ思想というものを極度に卑《いや》しめるものであった。

いわば秩序の支配者にとってはおそるべき思想であり、学問というよりも宗教であることのほうがややちかい。

この思想は、人の系譜で考えるべきであろう。数はわずかでしかないが、そのほとんどのひとびとが劇的生涯を送った。

その日本における学祖は、江戸初期のひと中江《なかえ》藤樹《とうじゅ》である。藤樹は年少のころは当然ながら朱子学を学んだが、この学問のややもすれば形式主義的であることをよろこばず、三十三歳のときたまたま『王竜谿語録』をよんで大いに感悟し、さらに王陽明全集を入手し、ついにこの学徒になり、知行合一致良知を唱え、数奇の生涯を送った。

この学統は熊沢蕃山《くまざわばんざん》にうけつがれ、さらに山鹿素行《やまがそこう》にも移伝した。素行は朱子学から入り、一方では兵学者であったが、中年で晦迷《かいめい》し、陽明学的世界に入って思想家としてのかれ自身を完成した。素行はその兵法をもって諸侯から崇敬されたが、寛文六年幕府はその思想を危険視し、かれの著『聖教要録』をよろこばず、これを理由に播州赤穂へ流した。赤穂藩主浅野内匠頭《たくみのかみ》長直は藩をあげてこれを厚遇《こうぐう》し、とくに城代家老大石良欽《よしたか》、その弟大石頼母《たのも》は献身的な門人になり、よく素行につかえた。素行は赦免までのあいだ九年、赤穂にいた。このため赤穂藩は素行の思想による強烈な信奉集団になったというべきであろう。そのつぎの代においていわゆる赤穂浪士事件がおこるが、もし素行の思想がこの藩になければおこっていないであろう。なぜならば藩主の失敗による改易《かいえき》などということはそれ以前にもそれ以後にも他藩において例が多かったが、しかし他藩士が赤穂浪士のような行動をおこしていない。

陽明学を信奉すれば「懦夫《だふ》をも志をたてしめ、頑夫をも潔《いさぎよ》からしめ、人格に生気を帯び、行動に凜気《りんき》を帯びしめる」と当時いわれたが、それだけに危険であった。江戸も末期にちかいころ、この学統の巨魁《きょかい》として大塩平八郎中斎が出現した。大塩は大坂町奉行の与力であるとともにこの学派の重鎮であった。天保七年、関西地方の凶作によって大坂に飢民が満ちたが、幕府はなすところがなかった。大塩はその救恤《きゅうじゅつ》を嘆願したがきかれず、ついにかれは自家の書籍、家財を売って金穀に代えて窮民をうるおしたが、なお救うに足りないため、ついに飛躍した。天保八年二月、兵を挙げた。この前後から以後のかれの行動は右の特殊思想によって理解するよりほかはないであろう。大塩は幕府の下級行政官でありながら幕府に対し武装蜂起した。しかも大塩は奇矯《ききょう》な性格のもちぬしではなく、その現職当時は能吏といわれたほどの男であり、さらに若気ともいえぬ年齢でもあった。齢は四十三になっていた。

それほどに常識的世界の男が、まるで衝動のような突然さで、反乱をおもい立ったのである。たれがみても反乱をおこして勝てるような時代でなく、成算なども万に一つもなかった。それでもおこすというのがこの学派の徒であった。この学派にあっては動機の至純さを尊び、結果の成否を問題にしない。飢民をみれば惻隠《あわれみ》の情をおこす。そこまでが朱子学的世界における仁《じん》である。陽明学にあっては惻隠の情をおこせばただちに行動し、それを救済しなければならない。救済が困難であってもそれをしなければ思想は完結せず、最後には身をほろぼすことによって仁と義をなし、おのれの美を済《な》すというのがこの思想であった。大塩は乱をおこし、このため市中の焼けること一万八千戸、ついに捕吏に包囲され、自殺した。この学問にあっては事の成否を問うことを卑しむ。事が成功するかどうかを考え、成功するならやるというような考え方を不純として排斥《はいせき》するのであり、この思想に忠実であるかぎり、大塩平八郎は何人でも出るであろう。

幕末騒乱期の初期、京におけるもっとも高名な陽明学者であった春日潜庵《かすがせんあん》は安政ノ大獄で下獄しているし、この時代もっとも熱心なこの思想の遵奉者《じゅんぽうしゃ》であった越後長岡藩の家老河井継之助《つぐのすけ》は打算の感覚のきわめて鋭敏なもちぬしでありながら、最後は「成敗は天にあり」として決然と飛躍し、時流に抗し、わずか七万四千石の小藩でありながら官軍に対し絶望的な戦いをいどみ、ついに自滅している。

乃木希典のこの道統は、これの縁族である吉田松陰と玉木文之進から出ているという意味で、長州における陽明風《ふう》山鹿学派のもっとも正統な系譜を継いでいるであろう。松陰のばあいは、かれの憂国のおもいのきわめるところ、海外に渡航する以外にないとしたときその行動が飛躍し、一舟を駆《か》ってペリーの艦隊に接近し、それがために幕吏に捕縛され、刑死した。松陰の刑死後、希典は松陰の叔父であり師匠であった玉木文之進のもとにあずけられ、唯一の住みこみ弟子として薫育《くんいく》されている。

乃木希典における一種の奇蹟は、この時期、玉木文之進に授けられた思想に、それ以後もすこしも反逆せず、生涯それをまもり、他の思想へ接近しようともしなかったことであった。

ことに三十九歳で渡独し、四十歳で帰朝してからのかれが反覆熟読した書物は、山鹿素行の諸著述以外になかったといっていい。かれの思想はいよいよ憑《つ》かれたような勢いでもってその少年のころに戻ろうとし、かれの読書時間のほとんどはそのことに費やされた。山鹿素行は精力的な著述家であったためにその著書はすこぶる多く、読みはじめれば足りないということはなかった。謫居《たっきょ》童問、武家事紀、山鹿語類、武経七書諺義《げんぎ》、古今義略考、武教小学、聖教要録、士談、原源発機などを、希典はくりかえし読んだ。

希典にとって終生わすれられなかった感動は、独逸から帰朝後、山鹿素行のうずもれた秘著を発見したことであろう。

素行には「中朝事実」という書物があることはふるくから知られていたが、それが皇室絶対思想ともいうべき主題でつらぬかれているため素行生存中の江戸初期の政体下では刊行は不可能であり、されなかった。さらに江戸期を通じてこの原稿は、延宝九年津軽藩で小部数出版されたことを例外とすれば一般には知られなかったというにひとしく、明治後もうずもれたままになっていた。希典はその稿本が肥前平戸の旧藩主松浦子爵家に秘蔵されていることを知り、つてを介してそれを閲読し、ついに借用し、数カ月かかってそれを手写した。

この書物は素行がその晩年に書いたもので、この時期、素行は漢学者としてはめずらしく神道を研究し、それに傾倒し、そのことによって極端な国粋主義者になった人物だが、かれは日本は神国なるがゆえに尊し、という感動をもってこの書上下二巻十三章をかいた。このころの素行は陽明学の唯心主義からややわきへ外《そ》れ、一種の神秘主義者の傾向を示しはじめており、「中朝事実」はその点で学問の書とい

、も てしにくに説をりだくの臨降孫天《てんそんこうりん》ばえとた。たっかかちに書教宗もりようの

うよりも宗教書にちかかった。たとえば天孫降臨《てんそんこうりん》のくだりを説くにしても、「神勅至れり。聖主万々世の厳鑑なり」といったふうの文章であり、感動の押しつけに満ちていた。神勅によって、「天つ神の皇統、竟《つい》に違《たが》はず」と言い、そのゆえにこそ「中朝（日本）の文物、更に外朝に愧《は》ぢず、その威武の如きは外朝にまた比倫すべからず」というようにつづいてゆく。

希典は、日夜これを手写した。写しおわるとさらに写してひとにもあたえ、写したうえでもさらにそれを読んだ。

「乃木閣下は、書物といえば生涯『中朝事実』しか読まなかったのではないか」

と、陸軍部内の若い将校のあいだでささやかれたのは、ひとつにはこの書物への異様な身の入れかたによるものであろう。

いわば奇男子といってよかった。かれはすでにはるかな過去に道統の絶えた山鹿学派の最後の継承者になろうとしているようであり、その学説を、陽明学的発想によって生活化しようとしていた。たとえば前記大塩平八郎がこの奇矯な学統からみなければその劇的なものを理解できないと同様、乃木希典においてもこの視角をはずしてはあるいはかれを見うしなうかもしれない。

「この道統には、大石内蔵助良雄と吉田松陰、そして西郷隆盛がいる」

と、希典は五十代のころ、その副官に語ったことがある。隆盛は山鹿学派ではなかったが、陽明学の徒であった。幕末において希典と同時代人であったひとに越後長岡藩家老河井継之助、備中松山藩家老山田方谷《ほうこく》などがいるが、方谷をのぞいて以上のひとびとはことごとく反逆者の道をたどり、非業に斃《たお》れた。

この陽明学をたれにほどこしてもことごとく右のようになるというのではなく、もともと性格として陽明学的体質というのがあるのであろう。そういう性格者のなかに陽明学思想が入ったとき、その性格に正義があたえられ、倫理的に琢磨《たくま》され、その行動に論理があたえられるのにちがいない。あたかも十七世紀の英国キリスト教界におこったフレンド派のごとく、その会派に属する者のことごとくが身を震《クエー》わす者《カー》になるのではなく、えらばれた気質の者だけが主《しゅ》のみ言《こと》に戦慄し、絶対平和のために挺身し、常識外の純粋行動をとるのと酷似していた。

希典には、資質としてそういう性格があったのであろう。日露役のころ、かれが陥落せしむべき旅順要塞が落ちず、大本営と満州総軍からの督促がはげしくなり、ついに総軍の児玉総参謀長から、

――乃木軍の司令部がいつも後方すぎる。そのように後方では刻々うごく前線の

状態がわからず、的確な作戦指導もできない。

とまで叱責《しっせき》されて以後、希典の様子があやしくなり、かれはこのんで前線を視察しようとし、それもしばしば敵の射程内にまで身をさらした。あきらかに敵弾による自殺を考えたうえでの行動であり、自殺志願者特有の緊張と放心の表情が、希典の相貌に出はじめていた。幕僚たちはひそかに申しあわせ、希典を監視した。副官が半ば力ずくでさがらせたこともあった。

旅順が落ち、北方に転戦したとき、奉天西北方において乃木軍は敵の不意討ちを受け、麾下《きか》の第六連隊が全滅し、後備旅団が潰乱《かいらん》し、逃げてきた兵が軍司令部まで駈けこむという空前の敗北を喫した直後も、希典は自殺的な視察を決意した。当時かれは大石橋《だいせっきょう》に司令部をおいており、その司令部用の民家にさえ敵の砲弾が飛来するほどのさわぎであり、参謀たちはその業務に忙殺されていた。希典はぼんやりそれをながめていたが、ふと立ちあがり、

「わしはちょっと出かけるから」

と、そとへ出ようとした。単騎で前線視察をするというのである。前線は優勢なロシア軍の攻撃をうけており、かれが騎馬という高い姿勢で視察すれば十中八九、敵弾の犠牲になるであろう。参謀も副官も、この多忙ななかでかれをとめることに

熱中しなければならなかった。重症の黄疸《おうだん》で寝ていた参謀長の松永正敏少将までが出てきて必死に制止した。

旅順のときも大石橋のときも、死は美であるとしか希典には考えられなかったのであろう。

そのことは、陽明学的な純粋発想からすれば正しいであろう。動機が美でさえあれば結果をさほどに重視せずともよい——成敗（結果的な成功不成功）を問わず——ということであろう。しかしながら現実の問題としては激戦中に司令官が戦死することは全軍の士気をいちじるしくおとすだけでなく、その報道は新聞電報によって即日世界に喧伝され、ロンドンの証券市場における日本の信用を低落させ、戦費調達のためにやっきになっている日本政府の努力をこれほど大きく阻害する事態はないといえるであろう。しかしながら希典はそのことにはうとく、疎《うと》くてもかれの閉鎖的な、その独特の思考法ではすこしもさしつかえなかった。

しかし幕僚をあげての制止で希典は外出することだけはようやく思いとどまった。希典の自殺的な戦死を希求《ききゅう》するという、そういう劇的なものに対するかれの衝動は、右のようなところから出ているのであろう。もっとも同様の劇的行動性という点からみれば、大塩平八郎、河井継之助、西郷隆盛の劇的行動性は巨大であり、いずれも抗しがたきものに抗してその身を粉砕しているが、希典の場合は敵の小銃弾にあたろうというその程度の規模のものであった。しかし規模の小ささは希典にはかれらにくらべて経綸《けいりん》の才が欠如しているというだけの理由であり、かれは経綸家でないだけにかえってその劇的な衝動はいっそうに純粋であるかもしれなかった。

三

日露戦から凱旋した希典にはおびただしい栄職と栄爵が待っていた。従二位に叙《じょ》せられ、伯爵を陞授《しょうじゅ》され、しかも現役の陸軍大将であり、功一級をさずけられており、軍事参議官であり、かつ学習院院長を兼ね、さらに宮内省御用掛であった。かれは、現職軍人として宮廷に入ったといっていい。そのことについては華族の中堅ともいうべき伯爵であること自体がすでに宮廷人であり、華族は皇室の藩屏《はんぺい》として法制上特別な階級に属していた。さらにかれは皇族や華族の教育機関である学習院の院長であり、ついでなによりもかれが宮廷的な存在であるということはかれが宮内省御用掛になったことが証拠だてていた。

このため、足しげく参内した。

明治帝は、希典がすきであった。かれを学習院院長にしたのも帝であった。凱旋後の希典のために元勲の山県有朋はべつな職を用意しようとしたが、帝がみずから発案し、希典の剛直をもって貴族の子弟を感化させようとし、

——乃木を学習院の院長にせよ。

と直命した。あわせて宮内省御用掛という立場をあたえるよう指示したのも帝であった。帝は希典を宮廷においてしばしば見ようとした。他の華族は年に数度、さだめられた儀礼の日に儀礼の奉伺《ほうし》をするだけでよく、それ以外に宮廷に用もなかったが、伯爵乃木希典にこの二つの職をあたえておけばかれの参内の機会はふえるであろう。

明治帝は嘉永五年のうまれで、希典より三つ若い。帝は維新成立のときは十六歳であり、かつての天皇が公卿や女官たちの手で薫育されたのとはちがい、この帝にかぎっては帝王としての薫陶を武士から受けられた。それも維新の風雲をくぐってきた連中であり、ことに明治三年、西郷隆盛が、

「帝はよろしく英雄でおわしまさねばなりませぬ。英雄のお相手には当代第一の豪傑がよろしゅうございましょう」

として旧幕臣山岡鉄舟を侍従にすすめてから、この帝の身辺はいよいよ武骨なものになった。鉄舟は一個の求道家であった。無私ということをもって成道《じょうどう》の目標とした。このひとはすこぶる剣を好み、さまざまの流儀を経てついに禅によって剣機を悟り、無刀流を創始し、春風館をひらいた。

帝はこの鉄舟を好かれた。鉄舟も帝のために献身した。明治六年、宮城が炎上したとき、鉄舟は淀橋の屋敷で変をきき、寝巻に袴をつけて、宙を飛ぶようにして宮殿にかけつけたが、御寝所の錠がかかっていた。鉄舟がこぶしをあげてその大杉戸を打ちくだき、こぶしから血を流しつつとびこんで帝をたすけた。帝はこのときのことを思いだすごとに驚きを新鮮にし、「鉄舟は飛行術でも心得ているのか。とにかくあのときなぜあのように早く来れたのか、いまもってわからない」としばしば言われた。鉄舟への帝の信頼感と愛情はいよいよ深くなり、御座所には鉄舟の佩用《はいよう》の刀をおかれ、

——鉄太郎（鉄舟）不在といえども、あの男の気魂《きこん》がわしを護っている。

と、この趣向《きょう》を興じられたという。かつて帝ははじめて奥州に巡幸されるとき、

なにぶん維新後まだ日もあたらしく、この地は戊辰《ぼしん》のときに西軍に抗したところだけに皇后が帝の身に万一のことがあるのを心配された。そのとき帝が、

「案ずることはない。鉄太郎がついている」

といわれた。これほど信愛された鉄舟も、明治二十一年、さほどの齢でもないのに病没した。帝はふかくその死を悼《いた》んだ。

帝にとって鉄舟がかけがえがないというのは、鉄舟が帝にとって郎党であることであった。資本主義体制下の立憲君主国の君主である帝は、近代憲法上の法制的存在であり、自然人としての人間である部分をすくなく生きている。帝がひきいている者は臣僚であり、官僚として存在し、かれらもまた法制的存在であり、帝の前に出たときは自然人ではない。かれらに対して帝は家来であるという人間的親密さをもつことができないのである。中世のころ、草ぶかい関東の野で鎌倉武士たちが連れてあるいたあの郎等・郎従・家ノ子といわれる存在にちかいものが山岡鉄舟であり、それであればこそ、帝は鎌倉武士がその郎党を愛したように鉄舟を愛した。

――乃木はそれに似ている。

と、帝は鉄舟の死後、そのような思いで希典という男を見、その思いが年とともに帝において深まったのではあるまいか。乃木希典には鉄舟の印象にみるような禅

的明朗さがなく、鉄舟ほどの天性の叡智《えいち》がなく、鉄舟のような剣の悟達者ではなく、鉄舟のようにその存在に偉風を感じさせる肉体条件ももっていない。ひとつ共通しているのは武士らしさであり、古格な武士の規範のなかで生死しようとしている点であろう。もっともその点ならこの時代、大官のなかでも例はかならずしもすくなくはない。たとえば日露役の軍司令官たちは維新のころ武士として世に存在し、その後も武士的な自己規律をさほどにうしないはしなかった。しかしながらかれら——大山巌、黒木為楨《ためもと》、奥保鞏《やすかた》、野津道貫《みちつら》たちは帝の前に出たときは忠良な帝国の臣僚であっても、なまな郎党ではない。郎党であるということは、どういうことなのであろう。

一種の錯覚がなければならない。狂言における太郎冠者がそのあるじの大名に対するように、あるいは「義経記《ぎけいき》」の武蔵坊弁慶がその主人の義経に対するように、自分という自然人の、自然人としての主人が帝であるとおもわねばならなかった。他の臣僚のように帝を近代国家の法制的存在として尊崇するのではなく、帝が草ぶかい田舎の土豪であるような、自分がその土豪の家ノ子であるような、そういう錯覚をもたねばならなかった。鉄舟にはそれがあった。希典の成熟時代は鉄舟のころよりも国家も皇室もはるかに整備され、帝の存在はいよいよ象徴化されていたが、乃木希典という性格はそういう法制や法制的組織をたとえ頭脳で理解できても、かれの過剰な、異様なほどにつよい従者としての情念はそれらに対して無感覚であり、かれが帝をおもうときはつねに帝と自分であり、そういう肉体的情景のなかでしか帝のことをおもえなかった。希典は、つねに帝の郎党として存在していた。

帝も、それを感じた。

——乃木はちょっとおかしい。

とも、この聡明な帝はおもったであろう。帝は、諧謔家《かいぎやくか》であった。侯爵蜂須賀茂韶《もちあき》は旧大名の出身としてはすぐれた外交官であったが、かれが枢密顧問官のときであったか、宮中に伺候《しこう》し、出御《しゆつぎよ》を待っているあいだに卓上の外国煙草をすこしばかりポケットに入れた。帝が出てきて卓上のたばこが減っているのに気づき、

「蜂須賀、先祖はあらそえぬのう」

といわれたという。帝におけるその種の感覚のなかでも乃木希典の映像は言いがたい愛嬌をもって映っていたであろう。

希典は、長州閥のおかげで栄進したが、しかしかれの技能は軍部内では評価が低かった。すくなくともかれが居なければ明治の近代陸軍が成立しないというような存在ではなかった。このためもあってその生涯で何度も休職命令をうけている。

かれは休職中も、年に一度の陸軍大演習にはかならず出て行った。休職軍人や予備後備の軍人はそういうものに出る義務はなく、出ても用事はなかった。しかしかれはかならず出て行った。軍の近代化に遅れまいとして出て行ったというよりも、ひとつには陸軍大演習は帝が統轄《とうかつ》されるという理由によるものであろう。かれは演習の第一線も視察したが、多くは帝のそば遠くで佇立《ちょりつ》し、つねに帝に気をくばり帝を守護するがごとくであり、かつそば近くにゆくことを遠慮するがごとくであり、かつ帝に対して一種言いがたい含羞を秘めているようであり、そういう希典の風景や心のうごきは帝にはよく感応した。

「乃木は感心である」

と、希典の生涯における最後の休職時代である明治三十五年十一月、北九州において大演習があったとき、帝は、雨中を駈けまわる希典の姿をながめ、侍従の藤波言忠子爵をかえりみていった。「たれでも休職になればほとんど演習には出て来ない。が、かれはかならず出て来、あのように泥のなかを駈け、雨に濡れそぼっている」といわれた。

帝はこの大演習のために北九州に下られる途次、長府に二日間泊まられた。

――これは乃木の故郷だな。

と、何度もいわれた。帝の希典への信任のあつさは宮中では女官でさえ知っていた。軍部の少壮官僚のあいだではそのために乃木中将は予備役編入をまぬがれているとさえささやく者があった。希典を第三軍司令官に推薦したのは元老の山県有朋であったが、有朋には多少帝のお気持を斟酌《しんしゃく》したところもあったであろう。旅順攻略中、希典とその幕僚の作戦の拙劣さと中央指示に対する頑迷さに大本営では手を焼き、更迭させようとした。が、帝は、

——乃木を更《か》えるな。

と、それをはばまれた。理論的には攻略中に司令官を更迭することは全軍の士気に悪影響をおよぼすということであったであろうが、ひとつには帝の希典への主人としての情愛であった。更えれば乃木はそれを恥じ、生きてはいないであろうと帝はいった。

この話は、当然、希典の耳に入った。希典の感動は戦慄以上のものであったであろう。希典はこのあるじの慈悲によって、名誉と生命を救済された。その郎党としての思いが、いよいよ深くなったに相違なかった。

明治三十九年一月十日、乃木希典はその幕僚たちとともに広島県宇品に帰還した。十四日新橋駅着、東京へ凱旋した。ただちに他の将軍たちとともに宮中差しまわし

の馬車に分乗し、参内した。それぞれの軍司令官たちが御前に進み出、かれらそれぞれの戦闘経過をしたためた復命書をおのおの読みあげた。どの軍司令官のそれも幕僚にかかせた文章であったが、希典のそれのみはかれ自身の手になるものであり、しかも作戦中、上級司令部をしてあれほど手を焼かせつづけた将軍でありながら、その復命書は他のどの司令官のものよりも名文であり、感動的であった。「……弾ニ斃《たお》レ、剣ニ殪《たお》ルルモノ皆、陛下ノ万歳ヲ喚呼シ、欣然トシテ瞑目シタルハ、臣、コレヲ伏奏セザラント欲スルモ能ハズ。然ルニ斯《かく》ノ如キ忠勇ノ将卒ヲ以テ旅順ノ攻城ニハ半歳ノ長日月ヲ要シ、多大ノ犠牲ヲ供シ、奉天付近ノ会戦ニハ攻撃力ノ欠乏ニ因《よ》リ、退路遮断ノ任務ヲ全クスルニ至ラズ。又敵騎大集団ノ我ガ左側背ニ行動スルニ当リ、此《これ》ヲ撃摧《げきさい》スルノ好機ヲ獲ザリシハ、臣ガ終生ノ遺憾ニシテ恐懼《きょうく》惜ク能ハザル所ナリ……」と希典は読みつづけてついに絶句し、うなだれ、嗚咽《おえつ》しはじめ、声がしだいに高くなり、他の諸将らは座に居つづけるに堪えられなくなり、上座の大山巌が一同に目くばせして一時廊下へ遠慮をしたほどであった。かれらが座をはずした理由のひとつにはかれらは帝と希典の個人としてのかかわりの深さを知っており、この座はむしろ主従ふたりきりの感動の場にさせるべきであろうかとおもったのであろう。かれら陸海軍将星の軍服は当然ながらすべて拝謁のための美麗な礼服を着用していた。しかしながら乃木希典のみは泥と硝煙のしみついた戦闘服のまま帝の前に立っていた。このあたりが乃木希典のふしぎさであろう。広島の宇品に凱旋してからすでに四日になり、服を着かえる余裕は十分にあった。しかしながらかれは戦闘服のままでいた。

——戦場からすぐ駆けつけた。

というところをこの郎党は帝にお見せしたかったのであろう。しかし戦争はすでに三月も前、去年の九月五日米国ポーツマスで講和調印された日をもって終了しており、すぐそこから駆けつけるというその戦場はすでに過去のものであった。が、希典にとっては戦場は過去ではなかった。帝の前で復命してからかれの論理ではかれの戦争は終結するのであろう。そのためにかれはよごれた戦闘服で参内せねばならなかったのであろう。が、他の将軍、提督たちにとっては多少の迷惑であった。かれらはすべて礼服であり、礼服であるかぎりはかれらが戦争をせず希典のみが戦争をしたかのごとき光景になっていた。希典はつねに劇的であった。その希典が感動的な名文を読み、読みつつ涕涙《ているい》はなはだしきがために読み続けるに堪えられなくなったときに、大山巌は廊下へ遠慮した。つづいて東郷平八郎が去り、野津、奥、上村彦之丞らが靴音をしのばせて去った。ただひとり児玉源太郎のみが、他になにごとかを考えているかのような顔つきでぼんやりと壁をみつめ、佇立したままであった。このころの児玉は戦争の疲労が一時に出たのか顔色が極度にわるく、精気がなかった。かれはこの年の七月、蠟燭の火の尽きるようにして死ぬにいたるが、この復命の時期にはもはや、泣いたり座を外したりするほどの気根も心の弾みもなくなっているかのようであった。

が、帝は、この戦争をその智謀と精力的な活動によって勝利に導いた児玉よりも、希典の劇的たたずまいのほうを好まれた。希典の劇的さは、その性格行動だけでなくその宿命までが劇的であり、かれはその二児をこの戦争で喪わしめた。戦闘服を着ていま嗚咽している希典の姿は、児玉などよりも日露戦争そのものであり、この戦争の悲愴と壮烈を一身に具現しているかのようであった。乃木には礼服でなく戦闘服がふさわしかった。

　戦後、帝は希典に対し、主従としての信愛をいよいよふかくした。

が、寵臣であるという感じとは、すこしちがうであろう。帝は維新後、前記山岡鉄舟から人間としての骨柄をつくるためのなにごとかを学ばれたが、同時に大久保利通の推薦で宮中に入った旧熊本藩士元田《もとだ》永孚《ながざね》から帝王学をまなばれた。元田は旧熊本藩では京都留守居役、用人、奉行などの職歴をもっていたが、なによりも朱子学の権威であり、性格は和気に満ち、しかも義理あるところは枉《ま》げず、醇儒《じゅんじゅ》とよばれるにふさわしい風格をもっていた。明治二十四年病没するまでのあいだ、二十年にわたってこの帝のために師でありつづけ、帝の帝王としての形成にもっとも大きな影響をあたえた。この元田永孚がくりかえしいったのは、

——寵臣をおつくりになってはなりませぬ。

ということであった。臣僚に対しては平等に御心を注がるべきであり、いかに醇良の者といえども格別な愛情をそそぎ、格別な接触の仕方をなされてはなりませぬ、ということを二十年にわたって繰返し言上した。このためこの種の自制心は帝において自然なものになっており、希典に対しても格別な態度をとることをつつしまれた。が、気配には出た。そのことを宮廷人たちのすべてが感じていたが、たれよりも希典自身が感じ、この一事を思うときにかれの全身を走る戦慄は戦後の希典にとって唯一といっていい生けるしるしであった。希典はいよいよ帝の郎党として傾斜した。

帝はしばしば横浜へ行幸された。そこに競馬場があるからであった。帝は当日汽車で横浜へむかうが、帝の鹵簿《ろぼ》を警固する近衛騎兵は前日に横浜へゆき、待機し、

定刻に駅頭で整列するのを常例としていた。乃木希典も前日に横浜へゆき、乗馬は貨車輸送し、近衛騎兵とともに帝の到着を待った。希典が近衛兵のなかにまじるというのは、どういう職制にもない。軍における希典は陸軍大将であり軍事参議官であったが、近衛師団長でもなんでもなく、かれがこの行列にまぎれこむことは職制上きわめて珍奇であった。しかし希典にとってふしぎではなく、かれは帝の郎党であり、さらに帝の軍人であるかぎりは帝を護衛してわるかろうはずがないというのがその理屈であったであろう。しかし希典のおかしさは他の競馬場へ帝がゆかれるときには参加しないということであった。横浜の場合にのみかれは臨時に護衛の編制に割りこんだ。その理由については希典は言わず、そのため関係者には不可解であったし、いまなおよくわからないが、あるいは横浜には外人の居留者が多く、そのなかの不逞《ふてい》の者が帝に対し何事かを仕掛けるのではないかというおそれを希典は土地が横浜であるだけに感じたのかもしれなかった。もしそれが希典の理由であったとすれば希典の思念の初々しさはどうであろう。中世の郎党が突如この時代にあらわれたような、あるいはこの時代人であるにしてもこれは少年が抱くようなおそれであった。

駅頭から、近衛騎兵が前駆する。沿道には市民や小学生が小旗をもってならばされていた。そのなかを近衛騎兵が蹄を鳴らしながらゆく。最先頭には二騎である。二騎併進し、ついで一騎がゆく。この三騎は露払いであり、大身の洋槍を右小わきにかかえ、左手で手綱をとっている。その行列をむろん人は横切ることはできないが、犬も横切ることをゆるされなかった。ところが横浜には犬が多く、犬はしばしば横切った。その前駆の三騎はそういう犬をみつけるや、すばやく大身の槍を片手で突き出して犬を串刺しにした。みごとな芸であったが、しかし沿道のこどもたちの目からみればこれほどおそろしいことはなかった。こどもたちのうちの何割かは犬好きであろう。かれらは犬を心理的には自分と同類だとおもっており、犬が血まみれになっている姿をみて自分が突き刺されたようにおもった。しかし大御心《おおみこころ》は慈悲ぶかいと教えられているからは、帝がそれを指図されているとは思わず、前駆の二騎・一騎のそのすぐあとに白馬に乗って進んでゆく非近衛的な服装のひとがそれを命令しているものだとおもい、その人物に対し言いようのない恐怖を感じた。その人物が、乃木希典であった。希典は横浜のこどもを恐怖させるために横浜へ出かけてゆくような結果になるのだが、かれ自身はそれに気づかず、犬が殺される光景を、ことさらに意思的な目で見すえた。このときの目が、もし芥川龍之介がそれをみればその短篇の「将軍」にあるように偏執狂《モノマニヤ》の目であると感じたであろう。郎党の希典にとっては鹵簿を横切る犬が槍をもって刺殺されるのは当然であり、犬は当然の死を強制されたにすぎなかった。そのくせ少年のころ羸弱《るいじゃく》な性格であった希典はその郷里で犬猫の試し斬りを強要され、それができず、侮辱を受けた。かれは沿道の小学生の年齢のころは動物の流血死体を正視することもできない少年であった。伝記作者たちはその性格の羸弱さをかれは意思力によって克服したとし、大正期の作家はその性格の底に偏執狂的《モノマニヤック》なものを潜在させているとした。

いずれにせよ、この沿道の少年たちと希典は、この瞬間にかぎっては対話ができなかったかもしれなかった。沿道のこどもたちは他のすべての庶民と同様、帝に対する関係は「陛下の赤子《せきし》」であるということにすぎなかったが、近衛騎兵たちは帝権の顕示者であり、さらに希典はそれよりも特別な位置に自分を置いていた。かれは華族として皇室の藩屏であり、かつ乃木希典個人として陛下の郎党であった。犬は近衛騎兵をして突き刺さしめねばならなかった。

帝はこういう乃木希典をして学習院の院長たらしめ、皇族、華族、富豪の子弟の教育に任ぜしめようとした。希典の学習院院長であることは、かれが凱旋した翌年の明治四十年五十九歳からその死までつづいた。

乃木希典が教育者としてどうであったかは筆者はほとんど関心がない。かれは教育者たることを官吏として拝命したのであり、たとえば福沢諭吉のようにその世界にみずからもとめて入ったのではなかった。このため、たとえばかれと同時代の教育者である右の福沢や新渡戸《にとべ》稲造、内村鑑三たちといずれがこの時代の教育にとって偉大であったかなどをくらべるのはかれのために公平でないであろう。ただ希典のばあい、教育者というよりもむしろ求道家でありすぎ、その求道性もかれ一個のストイシズムのなかに閉鎖されすぎており、自然その感化は普遍性を欠くきらいがあったであろう。なによりもかれが教育者に適しにくいのは、その印象の暗さであった。陰性で暗い印象の教育者などはあっていいものではない。児童や生徒たちの年齢ではものごとのあかるさを望み、陰気な教育者に対してはただ暗いというだけでその人物の品性や思想まで食わずぎらいになってしまうおそれがあった。あるとき、院長であるかれは特別講演のために海軍の東郷平八郎を講師としてまねいた。希典にすればこの日本海海戦の名将が、希典ごのみの克己・禁欲《ストイシズム》ふうな教訓を垂れてくれるとおもったのであろう。もしくは忠義という課題で児童や生徒たちの忠誠心を育てる訓話でもしてくれるとおもった。しかし、本来、東郷というひとは若年のころから忠義忠誠などということばをことさらに言わぬ人物であった。東郷だけでなくこれは薩摩士族の共通性格であり、かれらはたとえば西郷や大久保でさえ、忠義や忠義哲学についてあらたまって語ることをしなかった。島津時代からのこの藩の士風で、忠義などは人が飯を食うがごとく当然のことであり、それをことさらに言挙《ことあ》げするを恥ずる風さえあった。これとは逆に希典の育った長州は観念の論議をよろこぶ風があり、しきりと忠を言い、それを終生言挙げしつづけることをもって武士たる者のほむべき骨柄《こつがら》としていた。

東郷の話は、希典の期待に対して漫談であった。平素無口で知られた東郷が、この日にかぎってはひどく言葉がはずみ、しかも冗談が多く、このため児童、生徒は笑いさざめき、満堂のふんいきはともすれば希典のもっともきらう弛緩《しかん》の状態になった。希典はこれに対し、かれ独特の暗さを注入してときに粛然たらしめねばならなかった。かれはにがりきった顔で、ときに立ちあがった。満堂はそれをおそれ、陽が翳《かげ》ったようにしずかになった。東郷の講演はまとまった主題がなく、いわば座談であった。ときに生徒を指さし、かれから質問した。

――おまえは、何家《け》の子か。

と、その家名をきき、「将来何になるつもりだ」ときいた。何人目かに軍人になる、といった子があった。東郷はその子をのぞきこむようにして笑い、

——軍人になれば死ぬぞ。

と、からかうようにいった。おばけだぞ、といったようないかにも罪のないおどけかたであり、つづいてかれはいった。

——おなじ軍人になるなら海軍に入れ。海軍なら死なないから。

といった。それをきいたとき、希典は極度ににがりきった。こどもたちは講堂をゆるがすほどに笑った。やがて東郷が演壇を降り、控室へ去ったあと、希典が演壇にのぼった。もうそれだけで講堂のなかからざわめきが消えてゆき、沈黙にもどった。

「静粛にしなければならない」

希典はそう言い、しばらく壇上でだまっていた。東郷のあの洒脱《しゃだつ》すぎる話についてなにごとかを解説したかったのであろう。軍人にとって死は当然であり、死への行動こそ忠誠の窮極の道であるということを説きたかったにちがいなかったが、あるいは東郷への批判になるかと思い、それをつつしんだ。希典はそのまま講壇を降りた。

そういうかれに対して、低年齢の児童の多くは恐怖をおぼえ、高年齢の生徒の何割かは反抗をおぼえた。

しかしすくなくともただひとりの児童だけはかれを恐れず、むしろ慕った。このころ皇孫殿下といわれていた裕仁《ひろひと》親王であった。親王はのち昭和元年に帝位を継ぐにいたるひとで、乃木希典の学習院院長就任の翌年、八歳で初等科に入学された。

この皇孫ほど明治帝の期待の大きかったひとはないであろう。帝はこの皇孫が初等科に入学するにあたって、乃木希典をして学習院院長たらしめようとした。希典をして、かつての帝における山岡鉄舟、元田永孚たらしめようとされたのであろう。希典も帝の期待に応えようとした。かれは他の児童、生徒に対しては院長という立場で臨んだが、この皇孫に対してだけはひとりの老いた郎党という姿勢をとった。自然、皇孫は他の者のように希典を恐れず、恐れる必要もなく、無心にかれに親しみ、親しんだればこそ、学校における他の者とはちがい、希典の美質を幼童ながらも感じとることができた。希典がこの幼い皇孫に口やかましく教えたのは一にも御質素、二にも御質素ということであった。

帝は、それら、希典の教育ぶりに満足されているようであった。他のふたりの皇孫についても希典の訓化を要求された。淳宮《あつのみや》（秩父宮）と光宮《てるのみや》（高松宮）であったが、この両宮はまだ幼すぎたせいか、希典にはなつかなかった。希典も帝位継承者である皇孫殿下ほどには思いを入れずこの両宮に対してほのかに疎略であった。

——きょうは乃木は来ないのか。

と老帝がときどき左右にきかれるほど、希典が宮中に姿をみせることが多くなった。このことは、帝にとって楽しみであったようだが、かといってどれほどの談話があるというわけでもない。

帝にとってこの忠良な老郎党のたたずまいは、一種の愛嬌とおかしみを帯びていた。愛嬌とおかしみがあればこそ帝にとって郎党なのであろう。山県有朋や伊藤博文、西園寺公望、桂太郎などにはそういうところがなかった。かれらは帝にとって能力の提供者であり、希典は帝にとって誠実の提供者であり、誠実はときとして滑稽感をともなう。

たとえば明治四十二年のあるとき、帝はやや重い風邪を召された。希典はそうとは知らずに参内した。

華族である乃木希典は、参内のときは規定により東溜間《ひがしたまりのま》で待つ。希典はその間に入り、椅子に腰をおろしたとき、掛り役人があらわれ、

——お上《かみ》は、お風邪にて。

という旨を告げた。希典は文字どおりとびあがるほどの驚きをみせ、お熱は、供《く》

御《ご》は、していつからでありましょう、などと問い、ついにいちいち返事をきくのももどかしくなったのか、いきなり帝の寝所にゆこうとおもったらしい。希典は、東溜間からすぐ内庭《ないてい》へ出た。御寝所へゆく経路は東溜間から渡り廊下を通るのが正式であったが、それではこの場の希典には遠すぎた。かれは内庭を横切ってじかに御寝所へゆこうとした。内庭には白い大粒の白河砂が敷きつめられており、その上を希典が歩くと砂がはげしくきしんだ。希典の長靴《ちょうか》はむかしから軍の制式のものを用いず、かれ好みのものを用いた。膝をすっぽり覆うほどの大きなもので、どこか革具足を連想させるような重いものであった。その長靴でこの白砂の上を踏むと、おもいがけぬほどに大きな音がした。しかし希典はその音を気にするどころではなかった。

その靴の音を御寝所で帝はききながら、

「乃木が来たな」

と、女官にむかってつぶやいた。やがてあらわれたのは、帝の予感どおり希典であった。来た、と帝は夜具のなかでつぶやいた。当の希典は鞠躬如《きっきゅうじょ》としてすすみ、次室から機嫌を奉伺した。帝は女官をして病状をつげしめた。希典はその御病状がおもったより軽いのに安堵し、安堵した旨をのべ、型どおりの見舞いを申しあげた

あと、退出しようとした。女官が戸口まで送ってくれた。そのとき女官が、

「お上《かみ》は」

と、希典にささやいた。

「閣下が参られたことをお足音でお聴きわけでございましたよ」

希典は仰天し、いそいでその長靴をぬぎ、両手にかかえ、足音をぬすみつつもときた内庭の白砂の上を横切って行った。その様子を女官は御寝所にもどるなり帝に告げた。帝ははじけるほどに笑われ、

「道理で帰りは足音がなかった」

といわれた。帝はこういうばあいの希典がもっとも好きであった。ひたむきに誠実であるがために当人は大まじめであってもどこか剽軽《ひょうげ》たおかしみが出てしまうという、そういう希典のおかしみは帝にだけわかるおかしみであった。もっとも希典のこのおかしみは希典のあるじである帝の立場でこそわかるおかしみであり、希典の同僚、部下、生徒、児童、家人にはとうていわかる立場ではない。

ともあれ、この主従はそういう微妙な感情までなかにおいた仲であり、その意味において希典はこの国家における単なる軍事官僚ではなかった。上代的な従者であった。

四

明治帝は、公卿なかまで仁王とあだなされた外祖父中山大納言忠能の骨柄を遺伝し、体格はいかにも頑壮であり、なみはずれて膂力《りょりょく》がつよかった。しかし五十代のはじめのころから糖尿が持病になり、ことに日露戦争が終了した翌年、諸将が凱旋してきた前後に糖尿にくわえて慢性腎臓炎を併発し、精気がめだって衰えられた。明治四十年代は帝にとってほとんど心身爽快という日はなく、同四十五年の初夏、右の慢性病にくわえて胃腸をわるくされ、食欲なく、嗜眠《しみん》はなはだしく、医師の診断は深刻になった。

が、外部にはさほどのようにも伝わらなかったため、希典はこの夏、学習院のこどもたちをつれて沼津水練場にゆく準備をととのえていた。

かれは七月十九日、単独で沼津へゆくべく出発し、この日は横須賀に立ち寄り、海軍機関学校の卒業式に参列し、そのあと付近の遠縁の家で一泊し、翌朝、沼津へむかうべく横須賀駅に入った。軍港の町であり、当然ながらプラット・ホームには海軍士官が多かったが、そのたれもが通常礼服を着用しているのが異様であった。式日でもなく、しかもこの日は日曜日であり、士官たちがこのようにおおぜい駅にいること自体が普通でなかった。

(なにかあったのか)

と、希典はおもった。希典は過去のどの戦場でも大事な切所《せっしょ》にさしかかると、その場に居合わさなかったり、遅れたり、他の所へ駆け去っていたりして、どこか失《しく》策《じり》の多い運の男であった。

このときもそれに似ていた。

この日、つまり明治四十五年七月二十日の朝、日本中に新聞号外がまかれ、帝が重態におちいられたことが報ぜられた。この発表によると、帝は昨十九日午後から尿毒症の徴候いちじるしく、すでに精神恍惚の状態にあり、けさになってその病状はさらに悪化しているという。

日本中で、いわば希典ひとりがそれを知らなかった。希典のこのときの不覚は、沼津ゆきはきょう東京を発っていいはずであるのに一日早くきのう発ち、寄らでもの海軍機関学校卒業式に臨席し、しかもその夜は遠戚の吉田庫三《くらぞう》家にとまったことであった。吉田庫三は松陰の甥で、中学校の校長を奉職していた。平素さほどのつきあいもないこの吉田家で希典は深更まで寝ず、寝ずに酒を飲み、「中朝事実」について飽きることなく喋ったという。

希典の東京の家では、静子がこの号外に接して狼狽したが、しかし希典がどこに泊まっているかわからず、ほうぼうに電話した。そのうち学習院から電話がかかってきた。「お上の御容態がこのようである以上、沼津ゆきは中止すべきだとおもいますが、いかがいたしましょう」というものであった。静子はやむなく彼女自身の判断で「乃木はいま不在でございますが、どうぞ中止なすってくださいますよう」と言ったが、希典の所在がわからぬではどうにもならなかった。いつもなら希典は出さきを言いのこしてゆくのが習慣であったが、この日にかぎっては泊まる場所さえ告げていなかった。

いずれにせよ、駅頭の希典は嬰児のごとく無邪気であった。しかし海軍士官たちの服装があまりに奇妙すぎるため、念のために近づき、かれの特徴のひとつである村夫子《そんぷうし》のような物腰といんぎんさで、

「今日は、なにかあるのですか」

ときいた。が、海軍士官はその問いが理解できぬように希典を見つめた。かれらは自分たちに接近してきたこの陸軍の将官が高名な乃木希典であることを知っていた。他の士官たちも、希典の問いが不審であったらしく、いっせいに希典のほうに目をむけた。やがて問われた士官が、

「閣下は、本当にご存じないのでございますか」

と、念を押した。かれらは希典が、いま危篤の帝にとってどういう人物であるかも知っていた。まさかとおもったが、しかしその事実を告げた。「それがため自分たちはいそぎ天機を奉伺すべくこのように汽車を待っているところでございます」というと、希典の顔色はたれの目にもわかるほどに青ざめた。

停止した機械のように希典はしばらく無表情でいたが、やがてゆるゆると動きはじめた。希典は沼津ゆきの切符をすてねばならなかった。東京ゆきの切符に買いかえた。ほどなく車中の人になった。空いた座席に腰をかけたとき、希典は醜いほどの猫背になり、顔を伏せ、動かなくなった。もう狼狽が静まり、暗い傷心がはじまった。しかしながら汽車が東京へ近づくころ、希典はすこし顔をあげた。目尻がさがり、やや放心のていであったが、しかし顔色が回復していた。車内の海軍士官たちはそのように観察した。この観測は希典の胸中と符合していた。希典はこのとき

にいたって、

――帝にもしものことがあれば自分は生きていない。

と決意したのであろう。そう決断することによってかれはこの地の底へ落ちてゆくような失落の思いから自分をわずかに救いだすことができた。この方法しかかれにはなかった。かれはかつて帝が自分よりさきに死ぬことを思ったことがなく、この案を以前から用意していたわけではなかった。しかしいまとなっておもうと、そのことは以前から一途に考えつづけていたようでもあり、ひょっとすると遠いむかしからそれをそう思いつづけることによって自分のなにかを支えつづけてきたようにもおもわれた。いずれにせよ、この場で自決、殉死ということがとっさの決断としてきらめいたことはたしかであった。とっさの間ながら、この着想と決断のみごとさは、かれが過去において、一隊、一軍の指揮官としてどの戦場でおこなった決断よりも、奇妙なくらべかたであるが、沈着ですばやく、かつかれ自身において安定感があったであろう。

かれは新橋駅についた。駅頭には学習院から人がさがしにきていた。希典はその者に、

――私はすぐ参内する。

と告げ、その足で参内し、天機を奉伺し、掛り役人から御容態をきいた。希典はこの日から朝と夕に参内した。かれが参内するときも退出するときも、宮城前広場で正座して帝の快癒《かいゆ》を祈っている数万の群衆をその目で見ることができた。これが、この時代の日本人の特徴ともいうべき風景であった。封建の世が去ってまだ遠くなく、しかも封建の世に躾《しつけ》られた節度と、権威への服従心と、つねになにごとかを仰ぐ心をもち、つねに崇敬すべき対象をもち、もしその崇敬すべき心がわずかでも自分において薄らげば天地がくずれるのではないかという畏怖心をあわせもっていた。この群衆とおなじ者が数万の兵士になり、その数万の兵士が旅順攻囲戦における希典の指揮下に入っていた。希典がかつて起草した凱旋の復命書にあるとおり、「作戦十六箇月間、我将卒ノ常ニ勁《けい》敵ト健闘シ、忠勇義烈、死ヲ視ルコト帰スルガゴトク、弾ニ斃《たお》レ、剣ニ殪《たお》ルルモノ皆、陛下ノ万歳ヲ喚呼シ、欣然トシテ瞑目」したであろう種類のひとびとであった。旅順の攻囲戦があれほど惨烈をきわめたにもかかわらず兵たちが黙々として死に、ついに屍山血河のすえ陥落させることができたのは、希典の力というよりもこの広場で拝跪《はいき》しているこの群衆であるであろう。希典はいわばその群衆の象徴であり、象徴といえばこの時代の将軍、政治家のたれよりもかれはこの群衆の象徴であるに似つかわしかった。

この帝が崩御されたのは、この月三十日の午前零時四十三分であり、直接の死因は心臓麻痺であった。

この日、希典は夕刻から参内し、深夜になっても退出せず、控室で頭を垂れていた。すでにこの刻限で控室にいるのは希典だけであった。

帝の病室では侍医頭《じいのかみ》が最後の拝診をし、御臨終を侍従たちに告げた。侍従長の公爵徳大寺実則は侍従藤波言忠をよび、

「非公式なことではあるが、乃木にだけはそっと報らせてやるべきではないか」

とささやいた。藤波は控室にゆき、希典の耳もとで囁いた。希典はこのところ体力がなく、不覚にもこのとき居眠っていた。藤波は、「私について来ますよう」とささやいた。希典はおどろいて立ちあがり、藤波のあとに従おうとしてなにごとがおこったのかをあらためてきいた。藤波はそれを告げた。希典は恐惶《きようこう》しつつ従った。かつ手まねきし、目顔で、自分についてくるように、とふたたびいった。希典にあたえられた秘密の光栄は、臨終直後の帝に最後の別れをすることができたことであったであろう。希典は侍従たちの黙認のうちに御病室に入り、その寝台の数歩のところまで進んだが、しかしそれ以上は足がすすまず、停止した。ながい佇立《ちよりつ》のあと、

藤波に注意され、この部屋から去らねばならなかった。廊下ではひとびとが足音を殺して走りはじめていた。ほどなく総理大臣西園寺公望が参内し、発表の手続きをとった。

希典は通夜のつもりだったのであろう、控室で、そのままの姿勢で端座しつづけた。天が白みはじめた時刻、たれかが、

——年号は、大正です。

と囁いているのがきこえた。希典が愕然としたように顔をあげたのが、ひとびとの目に多少めだった。明治が四十五年もつづいたために、希典は年号がかわるという知識が、実感として遠くなっていた。

「いつから、大正ですか」

と、希典は、そこにいた宮内省役人らしい男に顔をむけ、低い声できいた。男の顔は、不眠のために青ざめ、目ばかりが場所柄もなくするどくなっていた。男はこの不意の質問に戸惑ったようであった。

「いつから、と申しましても……」

と、不得要領につぶやいた。きまっていることではないか、と言いたいようであ

った。帝が崩御の時間である七月三十日午前零時四十三分からであった。男は、そういった。希典はうなずき、

「すると、いまはもう大正ですね」

といった。その大正元年の第一日がまだ明けきらぬ刻限、希典は宮中を退出し、すぐ待たせてあった俥《くるま》に乗り、帰宅した。かれは自邸にながくは居られなかった。その支度ができるまでのあいだ、衣服をあらためて参内しなければならなかった。その支度ができるまでのあいだ、かれはふと思いたち、前夜来の軍服のまま玄関から降り、門へ出た。すでにどの家にも国旗が出ていた。かれは自家の門柱をあおぎ、そこにかかげられている「乃木希典」の表札をはずした。この動作があまりにさりげなかったために、家の者のたれもが気づかなかった。事柄は瑣末《さまつ》であり、瑣末でありすぎ、劇的というのにはあまりにもそれらしからぬことであったが、しかし希典はこういう瑣末な事に思いを籠めるのがすきなたちであった。かれはこの日から大葬の日まで一ト月半ばかりを生きつづけてゆくが、しかしこの大正期には希典はすくなくとも表札だけでも存在していない。

この日から、希典は宮中にもうけられた殯宮《ひんきゅう》に参拝すべく毎日参内した。それも朝と夕の二度であった。

家人と口をきくことも、ほとんどなくなった。この間《かん》、かれにとってあたらしい行動が、一つだけはじまった。書類を整理することであった。

「なぜそのように」

と、静子がきいたが「諒闇《りようあん》中は、なにをすることもない。幸い、整理をしておく」と答えた。静子はそのことばをきいてどういう想像もめぐらさなかったようであった。ただ、かれは二階自室に内側からかぎをかけ、静子にも入ることをゆるさなかった。この作業は、ほとんど一ト月以上つづいた。

書類の整理をしていないときは、例によって「中朝事実」の筆写をかれはした。全巻を書写するのではなく、必要なところだけを写した。そういう作業をしていないときは、かれは階下に降りて来客の相手をした。客は諒闇中であるため公務の者はまれで、おもに親類縁者のひとびとであった。かれはむしろ進んで親類縁者に接しようとし、ときには使いをやってわざわざ呼ばせたりした。甥にあたる木彫家長谷川栄作もそのうちのひとりであった。希典はこの甥に自分の彫像をつくることを命じていたが、原型ができたあと、なかなか進まなかった。その完成をいそぐよう催促した。かれは、自分の姿を写真にとらせたり、絵にかかせたりすることがすきであったが、彫像をつくろうとしたのはこんどが最初であった。その完成を死の前に見たかった。制作者が遅くなっている事情をいろいろ物語ると、希典はつい重大なことをいった。それでは自分の生きているうちにできぬということになるか、ということであった。しかし長谷川栄作はその言葉からべつな連想ができなかった。希典の殉死は、殉死という行動がこの時代の現実からあまりにも遠かったために、身辺のたれの目にもかれが近い将来にそういう行動を用意しているとは想像ができなかった。

かれは自分の肖像だけでなく、かれの乃木家の先祖とされている佐佐木高綱の肖像をも画家小堀鞆音《ともと》に揮毫《きごう》をたのみ、それもできるだけ早く完成してくれるよう注文した。佐佐木高綱は源頼朝の旗あげ以前からの郎党であり、鎌倉幕府ができてから高綱はもっとも大きな恩賞をうけ、山陰山陽七カ国の守護になった。この高綱の多くの子がその領国内の地頭になって散在したが、そのうち光綱という者が出雲乃木村に住み、そこを領した。その光綱の子孫が毛利家につかえ、乃木家の家祖になったのは徳川期に入ってからのようであった。

希典は、山鹿素行の「中朝事実」のなかにある「人、イマダソノ父祖ヲ思ハザルナシ」ということばが好きであった。かれは邸内に祠《ほこら》をたて、佐佐木源氏の氏神である近江安土村常楽寺在の沙沙貴《ささき》神社の祭神を分祀《ぶんし》していた。この時期、かれは乃木家の系図をたんねんに筆写し、それを近江の沙沙貴神社に奉納し、保存をねがおうとした。希典にすれば自分が自害して果てれば、二児がすでに戦死している以上、乃木家の系譜はこの地上で絶えるとおもったのであろう。そのことのみがかれの感傷に耐えがたくおもわれたのであろう。かれはせめて系図をその先祖の氏神である沙沙貴神社に保存してもらうことによって、かつてこの地上にそういう一族が存在したことの証《あか》しにしようとおもった。かれはこの系図を筆写しつつ、かれから遠からぬ過去の縁者のなかで何人かが非業で死んでいることを知った。乃木家は、非業に死んだ者が多かった。乃木庸雄という者が「御奉公仕り候処、不都合これあり、死去」、乃木太五郎という者が「乱心によって始末」、乃木文郷《ふみさと》という者が「縁談の儀につき遺恨をはさみ、刃傷に及び候につき」などとあり、いずれも家族や親類がとり籠めて詰腹《つめばら》を切らせてしまったものであろう。

九月になり、さらに日が過ぎた。希典にとってその日が近づいてきた。

ある日、かれはめずらしく階下ですごし、家人や親類の者などと雑談をしていた。このとき夫人が、

「跡目のことでございますけど」

と、さりげなく言いだした。夫人にすれば二児が死んでいる以上、家督のことを

明瞭にしておかねばならないということを、この場の話題にしておきたかった。乃木家は伯爵家である。一般とはちがい、皇室に直属している以上、旧幕時代の徳川家における大名家の立場に似て、あと誰に継がせるべきかということを出来ればあきらかにしておくほうがよかった。伯爵家は世襲であり、何者かがこれを継いでゆかねばならない。

が、希典は興味を示さなかった。

かれにすればこの乃木伯爵家は自分の死をもって廃絶することを考えており、遺言にもそれを明記するつもりであった。かれはこの点で多少おそれていた。自分の死後、たれかお節介者があらわれて伯爵家に跡目を立てるであろうということをであった。

伯爵には栄誉だけでなく、年金がつく。このことが世俗からみれば魅力であった。さらに乃木家には自然に累積した財産があった。あるのは当然であろう。なぜならば希典には現役の大将としての年俸があり、学習院院長の月俸、功一級の年金、軍事参議官の手当、それに伯爵の年金、といったものをあわせれば東京に住む俸給生活者のなかでもとびぬけた高額収入をもっていた。跡目の相続者はそれらをも当然、相続できる。希典はこのことをおそれた（このことは、かれの杞憂《きゆう》におわらなかった。

かれの死後、山県有朋は宮中に画策してかれと乃木の旧藩主家から一子をむかえ、乃木伯爵家を相続させようとした。しかし希典が遺言に書きおいたため、関係者の反対に遭い、断念した)。

「乃木家の跡目のことか」

希典はやっといった。

夫人静子は、「天子さまでさえ御定命《ごじょうみょう》だけはなんともなしえませぬ。もしものことがあれば、わたくしが難渋《なんじゅう》します」といった。

希典は、ふたたび沈黙した。

(自分の決意を、静子はまだ気づいていないのか)

と、希典はおもったであろう。希典は自分の自害については細心に、しかも完璧な形式をもって仕遂げたいとおもっていたために、その妻にも漏らさなかった。漏らせばあるいは静子は反対するかもしれず、しれぬどころかその可能性が大きく、このためかえって事が混乱し、おもわぬ瑕瑾《きず》やしくじりができるかもしれない。言わずに、当日いきなり断じようとおもっていた。しかしながら希典にすれば、彼女においていくらかは疑念をもたせ、それとなく事が突如でないように思い量《はか》らせようとしむけていた。仕向けているつもりであり、たとえそうでなくても夫婦である以上、その一事をすこしでも疑うべきではないか、が、この跡目の話題をもちだした彼女の表情にはべつに他意のありげなところがなかった。このことは希典の気持を多少迷わせ、しばらく自分の返事をおさえた。

やがて、希典は口をひらいた。

「べつに、こまりはすまい」

と、問題を別のものにわざと食いちがわせた。こまる、というのは伯爵家の跡目でなく彼女があとでいった彼女の老後のことであった。なるほど女ひとりを養うという程度なら、希典は十分以上の遺産をのこすことになるであろう。

が、静子は、いいえそのことではございませぬ、と、すぐ訂正し、さらに言おうとした。希典は話題をうちきるためにことさらに笑いだした。

「なにもこまることはないではないか。もしこまるとおもうなら、おまえもわしと一緒に死ねばよかろう」

希典はわざと冗談めかしくいったために、そばにいたひとびとはこのことを当然会話の上でのあそびだとおもった。希典は幾年かさきに病死する。そのときはおまえもどうだ、一緒に、というのは仲のいい老夫婦なら一度は言いかわす冗談であったであろう。

が、静子はこのときはじめて微笑を消し、真顔になった。その一点につき、多少の不審をいままで感じてはいた。希典が自室にひきこもって書類整理をしている様子が、日が経つにつれ、ただごとでないようにも思われてきたのである。彼女は先日、自分の実姉の馬場サダ子の家を訪問したときも、

――ちかごろ、希典の様子がどうも変なのです。

と、なにかの話のついでにいった。気になってはいたが、ごくかるい言葉調子でいった。まさか静子にも、希典が殉死の企図を秘めていようとはおもわなかった。崩御を傷《いた》んで希典の日常がひどく陰鬱なものになっている、ということをそのようなことばでいったのであろう。

しかしいま、話題が死の話であるだけに、静子は聞きのがすことができなかった。ふと、このひとも死ぬのではないか、とおもった。

静子はどの宗教にもかかわりが薄かったが、霊魂や超自然の意思というものが実在していることを信じていた。長子勝典が戦死したときも彼女は予感し、勝典がいま二階で本を読んでいるのではないかとひとにも言い、自分もそのことを不審におもい、その後そのことが気持を重くした。果たしてその同日同刻に勝典は南山の野戦病院で戦傷死したことがわかり、この予感が的中した。二〇三高地で死んだ保典

については希典にその霊感があったが、静子にはなかった。「保典という子はあかるくて淡泊な子でしたから霊になっても、自分の死を報らせるようなことをしなかったのでしょう」とひとにもいった。保典がそのような淡泊な若者であっただけに静子は保典の死を勝典のときよりも激しく悲しんだ。静子は、夢占いを信じていた。自分のみた夢を人に語るのが好きであり、その夢で吉凶をうらなうこともすきであった。そういう静子が、いま死についてふと語っている希典に対し、他の人にはない鋭敏さでそれをうけとった。希典は死ぬのではないか、と、ありありとおもった。生者もまた自分の意思以外の意思で、ふと自分の終焉《しゅうえん》を予言することがあるという。そのことをおもった。希典は病死するのではないか。そうおもったとき、静子はこの不吉な予感をいそいで祓《はら》わねばならぬとおもった。彼女はおもいきって明るい声を出した。

「いやでございますよ」

大声でいった。いやとは一緒に死ぬことが、である。さらに、すぐいった。

「わたくしはこれからせいぜい長生きして、芝居を見たり、おいしいものを食べたりして、楽しく生きたいと思っているのでございますもの」

希典は、だまった。受けとりようによっては希典への抗議とも感じとれるであろう。結婚後十八年のあいだ気むずかしい姑に仕え、その間信じがたいほどの軋轢《あつれき》もあり、しかしながら乃木家の体面の手前、それを忍び、ようやく三十八歳のとき姑の死によってそのことから解放された。しかしそのころには勝典が軍人の学校に入ることをいやがり、それを強制する夫とのあいだに立って難渋した。彼女自身も勝典を軍人にすることを好まなかった。しかし勝典も彼女もついに希典の意志に従った。保典も自分は軍人にむかないとつねづねいっていた。それも父の意志によって軍人になった。そのふたりが、そろって満州の戦場で死んだ。かれらがそろって仏間に入ってしまったこんにち、二人の亡児がかならずしも好んで軍人になったわけではなかったことを思い、そのことを思えば思うほど彼女の傷みは日の去るとともにいっそうに深まるようであった。乃木家のひとになって三十四年、一体どれほどいいことがあったであろう。しかもこのうえ、陰鬱なことを自分の将来において予想したくはなかった。たまたま彼女は、乃木伯爵家の跡目のことについて話題をもちだした。このことは希典が死ぬということをわざわざ想定しての話柄《わへい》ではなく、彼女にすれば跡目の若者でもさがすことによって、いまの一時期のこの憂鬱さをそのことの忙しさとにぎやかさでまぎらそうとおもってみたにすぎない。であるのに希典は、

――おまえも死ねばいいではないか。

といった。話題がこのために重くなった。彼女はそれをもとの軽さにもどさねばならなかった。だから「芝居」と「おいしいもの」ということばをもちだした。ほんのしばらくの沈黙のあと、希典は希典なりに静子のことばの意味のいっさいがわかったらしい。この享楽否定主義者が、しかも非常な説教好きであるにかかわらず、なにもいわず、爆《はじ》けるように笑いだした。

「そのとおりだ」

希典はみじかく言い、上機嫌で立ちあがった。

しかしながらこの夫の顔色は相変らず悪かった。顔色については、宮中などでひとがその悪さにおどろいて指摘すると、つねに、

――ちかごろ、痔の様子がよくないので。

と、かれはきまってそのように答えた。それも事実であった。痔による貧血とかるい糖尿の気《け》と、それに老来いよいよ宗教的信条といえるまでになっているその粗食と小食のため、顔にも手足にも皮下脂肪といったものがほとんどなく、身うごきにまで精気を欠きはじめていた。やがてかれが背をみせ、その巣のようにしている二階へもどってゆく姿は、どうみても齢以上の老人の印象であった。希典はこのと

き六十四歳になっていた。静子は、五十四歳である。

五

九月十一日は、かれの死からさかのぼって前々日であった。この日午前六時、かれは赤坂の自宅を出て皇居にむかった。馬を用いず、わざわざ俥を用い、膝の上に風呂敷包みを置いていた。厳密には膝の上でなく、膝から三寸ばかり浮かせ、両掌に載せていた。その様子から察して、よほど大事な品物であるとみられた。

静子は、べつに不審を抱かなかった。朝の参内はかれにとって恒例のことなのである。このところかれの日課は朝夕に参内して先帝の殯宮を拝し、しかるのち二日に一度、かれにとって生徒である皇孫殿下に拝謁した。厳密には皇孫とよばるべきではなく、すでに帝は没し新帝の代になっている以上、新帝を中心にした呼称がふさわしいであろう。皇太子とよぶべきであった。しかしながら希典はこの裕仁《ひろひと》親王をあくまでも皇孫殿下とよびつづけた。親王はすでに十二歳になっていた。

希典はこの日の前日、退出するとき、御帳簿に細字をもって、「明朝かならず拝謁をたまわりたい」という旨のことを記入した。そのことは無論かなえられた。このためこの日、皇孫殿下の扈従者《こじゅうしゃ》たち——波多野大夫、村木武官長、桑野主事をはじめお付き女官たちは早朝から勤務に就き、希典を待っていた。

——あらたまって拝謁を乞うとは、なにごとだろう。

という疑念がたれの脳裏にもわだかまっていたが、しかしたれもそのことについては話題にしなかった。

その朝、希典は家を早く出すぎたようであった。御門のみえるあたりでそれに気づき、俥を捨て、徒歩をもって広場を横切り、御門に入ってからしばらく時間を消すために佇立《ちょりつ》した。近くの松を見あげ、遠くの松をながめた。どこか詩でも作りたげな風景であったが、しかし詩のことは考えていなかった。漢詩をつくるのはそれなりの集中と気根の要る作業であり、希典はここ数年ついぞ作っていない。詩をつくる体力がなくなっていた。そのかわり、和歌をつくるようになった。しかし希典の発想、情感は和歌という形式や調べにむかないらしく、あまりうまくはなかった。なにごとにも好みが強烈であり、美醜で物事をきめたがるこの性癖のもちぬしは、ひらがながきらいであった。男子はカタカナをつかうべし、あれは武骨でいい、とひとにも言ったりしたが、和歌というものの発想はひらがな文字の感触と無縁でない以上、かれに適《かな》わなかったのであろう。しかし漢詩をつくらなくなってから、和歌を詠むことに熱心になった。ひとに添削を乞うたりもした。

かれはすでに辞世のためのものを用意していたが、その辞世はかれが得意とした漢詩でなく和歌であった。うつし世を神去りまししし大君のみあと慕ひてをろがみまつる、というものであり、しかし日が経つにつれてその下の句が気に入らなくなり、常住心にかかっていた。ところが昨夜、ふと想《そう》を得、気持がおちついた。をろがみまつるをやめ、われはゆくなりということにかえた。大君のみあと慕ひてわれはゆくなり、というほうがしらべもととのい、希典の気持にふさわしくおもわれた。

希典は、参内した。

午前七時である。かれは控室でわずかな時間待ち、ほどなく廊下へ出、拝謁の部屋に案内された。部屋は和風で、畳の上に絨緞《じゅうたん》がしかれ、その上にテーブルがおかれている。しかし椅子はおかれていなかった。

希典は、立ったまま待った。やがて皇太子裕仁親王、それに淳宮、光宮があらわれ、三人一列に横にならばれた。波多野大夫、村木武官長は別室にさがり、御養育掛の土屋子爵と女官二人が部屋に残った。

希典は、拝礼した。

親王たちは答礼した。裕仁親王は学習院の制服に喪章をつけていた。

「まことにおそれ入りまするが」

と、希典は御養育掛にいった。お人ばらいが願わしゅうございます、というのである。このことは異例であり、御養育掛土屋子爵はちょっととまどったが、しかしすぐ決断し、みなに目くばせをした。一同、廊下へ出た。廊下は一間《いっけん》の畳敷きであった。

——そのお障子を。

とまで希典は要求した。部屋と廊下のあいだに厚い唐紙障子がある。それを締めてもらいたいというのである。女官はおだやかに一礼し、それをしめた。このため、部屋は三人の皇子と希典だけになった。

希典は、卓子へすすみ、そのうえに風呂敷包みをのせ、それを解き、なかのものをとりだし、それをちょっと頂き、すぐに卓上にのせた。書物であった。希典はその書物を三皇子にむかってひろげた。

「この書物は、『中朝事実』と申しまする」

といった。希典が手写したものであり、さらにかれ自身の手でところどころに朱註を入れてあった。

「むかし、山鹿素行先生と申されるひとが」

と、この書物の由来とその著者についての概要を説明した。その説明だけで五十分以上の時間を要した。さらにかれらが気づいたときは、希典はこの書物のところどころを読みあげ、その内容について講義をしはじめていることであった。漢文と漢語をまじえての話は十二歳の兄宮でもむりであったであろう。まして二人の幼童にとってはこの老人がなにをしゃべっているのか、すこしもわからなかった。

二人の幼童は、それでもそのあと三十分ばかり立っていたが、ついにたまりかね、まず淳宮が駆けだした。光宮がそのあとを追った。かれらは重い唐紙障子をあけ、廊下へとびだした。このため、廊下でひかえている人びとの目に、なかの様子がよくみえた。

——なにごとが行われているのであろう。

と、たれしもが息を詰めたほどにそれはただごとでない風景であった。希典の半顔が濡《ぬ》れていた。顔をまっすぐにあげたまま涙がとめどもなくくだっており、しかも声は歇《や》むことがなかった。

裕仁親王はすでに十二歳であるだけにこの場から逃げだすことはせず、しつけられたとおりの姿勢で立ちつづけていた。

希典の思想と精神はつねに劇的なものを指向し、その行動と挙動は自然劇的なものを構成しがちであったが、その生涯においてこのときほどそうであったことはないであろう。かれは「中朝事実」を演述しつつも帝王としての心掛けをこの親王に説いていた。希典にはかれをおびえさせている危機感があり、それはこの国家のゆくすえのことであった。日露役後瀰《び》漫《まん》しはじめたあたらしい文明と思潮のなかでこの国は崩壊し去るのではないかということであり、そのことはひとにも語っていた。国民のあいだで国家意識がなくなってきたのではないか、という質問をうけたとき、かれはそれを認めるのがこわいというふうにはげしくかぶりをふった。国民はりっぱである、とかれはいった。ひとりひとりはきわめて立派である、と言いかえた。しかし底が抜けてしまった、と最後にいった。底とは忠君思想であろう。

愛国であってもならない。この点についてかれの思想を、十七世紀の政治思想家である山鹿素行が代弁してくれている。「それ、天下の本は国家にあり、国家の本は民にあり、民の本は君にあり」と、素行は「中朝事実」のなかで説いた。「民にあり」というところまでは儒教思想であったが、「民の本は君（天子）にあり」というところの、希典のいう「底」のところで素行は時の政権から忌避された。素行はこの思想のために暗澹とした後半生を送ったが、希典は逆にこの思想が時代思想であったときに成人し、栄爵を得た。その思想が国民のなかから退潮しようというきざしのみえるときに希典はその晩年を迎えた。いま死のうとするとき、その憂心はたれに語り残すべきであろう。かれはすでに軍部から慇懃《いんぎん》なかたちで疎外されていた。学習院でもかならずしも生徒のあいだでかれは魅力ある教育者としては映っておらず、著述して世に問うにも、かれは世を納得させるだけの論理の力をもっていなかった。かれに残された警世の手段は、死であった。かれは自分のおよそ中世的な殉死という死がどのような警世的効果をもつかを、陽明学の伝統的発想を身につけているだけにこのことのみは十分に算測することができた。しかしかれのいまの涕涙はそれではなかった。すでに老残であることを知っているかれは、たれに相手にされなくてもこの眼前にいる少年にだけは言い残したかった。この少年は将来数十年後にはこの国の帝になるはずであり、その点で他の者とはちがっていた。さらにこの少年だけは他の者とちがい、自分のいうことを素直に聴いてくれる少年であり、げんにいまも聴いてくれていた。この少年の律義さを希典はつねづね景仰《けいこう》していたが、なんという美質であろう。少年はじっと立ちつづけていた。もっとも少年はその美質をもって立姿《りっし》の姿勢をとっているのであり、希典の演述を理解しているかどうかについては、じつのところ希典にとってもよくわからなかったであろう。

「この『中朝事実』は」

と、希典は卓上のものを両掌でさし示しつつ、あるいは殿下にとって訓読《よみ》がまだごむりかと存じまするが、ゆくゆく御成人あそばされ、文字に明るくおなり遊ばしたあかつきにはかならずお読みくださいますよう、このように手写し、献上つかまつる次第でござりまする、と希典はいった。

希典の講述はおわった。このとき皇儲《こうちょ》の少年は、不審げに首をかしげた。

「院長閣下は」

といった。かれは乃木とよばずこのような敬称をつけてよぶようにその祖父の帝の指示で教えられていた。

「あなたは、どこかへ、行ってしまうのか」

少年はそう質問せざるをえないほど、希典の様子に異様なものを感じたのであろう。この声はひどく甲高《かんだか》かったために、廊下にいる女官たちの耳にまではっきりきこえた。

「いいえ」

と、それをあわてて否定した希典の声も、廊下まで洩れた。

「乃木はどこにも参りませぬ。ただ英国のコンノート殿下の接伴員をおおせつけられておりますので、このところしばらくのあいだ……」

とまで言い、あとは言葉を消した。しばらくのあいだ乃木は参殿できませぬ、ということばを省いたのであろう。

希典は、退出した。

翌十二日になった。かれがその死を予定している前日にあたっている。この日もかれはその日課である参内のために出かけた。希典が出かけたあと、静子はひどく不安になった。この前夜、彼女は夢見がわるく、目がさめるとうなされている自分に気づいた。夢というのはこの乃木家に弔問客がひきもきらずにきているというもので、ただごとでなかった。彼女は居たたまれなくなり、ついに家の者にその旨をうちあけ、易占家のもとに走らせた。易占家はその夢を卜《ぼく》し、これは容易ならざることでございます、といった。甚だ申しあげにくいことでございますが、ご主人の身の上に危険がせまっております、それもここ二三日のうちであり、十分にご注意なさらねばなりませぬ、という。静子は、この種のことを信じた。当然、この卜占を信じた。彼女が希典の挙動について自殺の疑念からそれを見はじめたのは、希典の死ぬこの前日からであった。

この日、希典は、朝は参内し、昼は殯宮に拝礼し、夜は殯宮に奉侍した。殯宮奉侍は、普通にいう通夜のことであった。

その殯宮奉侍から退出し、希典が赤坂の自宅にかえったのは、夜の十一時すぎである。

この夜、希典は夜食のそばを食い、親類の者としばらく語り、そのあと二階自室に入り、内側からかぎをかけた。すでに零時をまわっているであろう。この時刻からかれは遺言を書くことをはじめた。法的に正式な遺言書は一通であったが、ほうぼうへの遺書はかれの心積りでは七八通を必要とした。それがおわるころには夜が白むであろう。夜があければ、先帝の大葬の日である。

かれはまず遺言書をかきはじめた。かれのもっとも濃い四人の身内に対するものであった。妻静子の実家の当主湯地定基、かれの末弟の大館集作、かれの宗家の当主である玉木正之、それにかれの妻静子の四人を連記することをもって宛名とした。

内容は十カ条にわけ、条々にはいちいち番号をつけ、冒頭には「遺言條々」と書いた。

その第一条は、

自分此度、御跡《みあと》ヲ追ヒ奉リ
自殺候段、恐入《おそれいり》候儀、
其罪ハ不軽《かるからず》存候

と書いた。まず企図と決心をのべるのは作戦文章の原則であり、希典は自然それに準《なら》った。つづいて理由を書いた。理由は、「明治十年の役に於て軍旗を失ひ、その後死処を得たく心がけ候もその機を得ず。皇恩の厚きに浴し、今日まで過分のご優遇をかうむり、おひおひ老衰、もはやお役に立ち候ときも余日無く候をりから、このたびの御大変、なんともおそれいり候次第。ここに覚悟相さだめ候ことに候」でおわっている。

それ以外に、理由は書かれていない。要するに二十九歳のとき軍旗を薩軍にうばわれたことについての自責のみが唯一の理由になっており、この一文あるがためにかれの殉死は内外を驚倒させた。信じられぬほどの責任感のつよさであり、この一文は軍人の責任という徳目の好例として米国の陸軍士官学校の教科書にも採録され、いまもつかわれているという。希典自身も自分の死の理由をそのように信じた。というより、詩人としての希典は、希典はつねにそうだが自分を詩中の人物として置くとき、このような自分であることがもっともその詩心を昂揚させるのであろう。かれは近代文学の徒ではないために自分の心理の分析を必要とせず、ただいっぺんの詩情と詩の一句で自分を整理することのできる人であった。かれの少年期にはそのような人物が無数にいた。しかしその時代が維新をもっておわり、その後国家と社会が近代化されて四十五年を経たが、かれのみはその前時代人の美的精神をかたくなに守り、化石のように存在させつづけた。

第二条からは、実際的なことがらである。乃木伯爵家は絶家すること。この赤坂新坂町の屋敷は市か区に寄付すること。遺品わけはかつての副官である塚田大佐にまかせること。御下賜品は学習院に寄付、書籍類は学習院と長府図書館に寄付すること。自分の遺骸はしかるべき医学校に寄付すること。墓下には毛髪と爪歯を収容するだけで十分であること。

さらに資財分与などについては静子から相談つかまつるであろう。自分の死後、静子の居宅については静子にまかせるが、静子もおいおい老境に入るため石林の別荘は辺鄙《へんぴ》でありすぎ、病気などのときにこまるであろう。このため石林の家土地は弟集作にゆずる。静子は中野の家に住むがよかろうと思うが、いずれにせよ住まいは静子自身のことであるゆえ、そのことは静子にまかせたい。静子がきめるであろう。

当日になった。

大葬の日であり、この日は夫婦そろって参内せねばならない。静子はこの日未明、二階の自室で起きたとき、廊下をへだてた希典の居室ではすでに物音がしていた。すでに起きたのかと静子はおもった。静子には彼女個人としてこの日大仕事があった。宮中における第一種喪装というあのこまごまとわずらわしい衣装の着付けをしなければならなかったのである。着付けにはおそらく三時間を要するであろう。

この早朝、希典は入浴した。いつもならば希典は入浴のとき書生をよび、書生に背をながさせた。しかしこのときはいつになく静子をよび、彼女に背を流させた。静子はそのあと自分のための湯をつかい、やがて彼女自身の居間に入ってあの煩瑣《はんさ》な衣装をつけはじめた。

午前七時すぎ、写真師がきた。前夜、人を派して申しつけてあった者で、近所の写真師であった。希典は自分の像を写真にすることが好きであり、壮年のころから出入りの者をきめてあったが、前夜、急なことでもあり、近所の者をこの朝よんだ。

午前八時ごろ、静子の着つけがおわり、希典の希望で夫婦そろった写真をとることにした。希典は陸軍大将の礼装をし、勲章を佩用した。場所は洋式応接室をえらんだ。ケフノ写真ハ自然ナル姿勢ガヨカラウ、と希典はいい、かれは椅子に腰をおろし、手袋を卓上に置き、新聞紙をとりあげ、老眼鏡をかけるというポーズをとった。希典は声をあげて新聞をよみはじめた。かれはどういう刊行物を読むばあいにも声をあげるのがくせであった。静子も部屋に入り、歩みより、第一種喪装のまま希典の右側に立った。写真師は二度マグネシウムを焚き、撮影をおえた。ついで希典は玄関の前庭に降り、そこで帽子をかぶり、剣を杖つき、単独の写真をとった。静子もそれにならい、単独の写真をとった。

おわると、ちょうど参内のためによんであった自動車がきた。夫婦はそれに乗るべく、玄関を出た。門を出るまでのあいだ、希典は無言で静子のえりに手をのばし、そこについていた糸くずをとってやった。ふたりは車に乗った。

午前九時に殯宮に参拝し、静子はすぐ帰宅した。希典もほどなく帰った。正午は親類の者もまじえ、昼食をとった。食事は、自家で打ったそばであった。希典はこ数年、ほとんどそばを主食にしていた。客に「ご馳走をする」と予告して招待したときも、出したのはそばだけであり、客はそのためにおどろいた。希典はこのそばという食いものにさえ、かれは自分のストイシズムとそれへの感動と他人への訓戒をこもらせていた。かれの死後、かれの崇敬者が激増するが、そのほとんどがこの一点に感動した。伯爵といえば旧幕時代の大名を連想する時代であり、むしろ庶民にとってはそれ以上の華麗な存在であった。その伯爵が、庶民も避けるような粗食をしているということについての感動は、のちの時代のものには想像のつきがたいものであろう。かれら崇敬者たちはこれを乃木式食事とよんだ。しかし希典の現実の生理ではそば程度のものしか欲しないのは当然であったであろう。

この食事中、静子が、

「桃山の御陵までお供なさるのでございましょうね」

といった。華族はみなそのようにすることになっているし、当然希典ならばそうあらねばならぬであろう。

静子がこのことを質問したのは、はっきりと希典の意中をさぐる目的のためであった。希典があるいはこの期《ご》に自殺するのではないかということは、静子の想像においては十のうち七つ八つまで疑いがたいものになりはじめていた。自殺するとなればそれはいつなのか。あるいは存外、自殺などは自分の思いすごしに過ぎないのではないか、などということを、その質問のなかに籠めた。

ところが希典のふしぎさは、この期になってもこの企てを韜晦《とうかい》しようとしたことであった。かれはいった。

「きょう参内したとき、またしてもみながわしをみて、どうも顔色がすぐれぬ、どこか悪いのではないか、というのだが、それほどすぐれぬなら桃山まではとてもお供おぼつかない。このことだけは残念ながら思いとどまることにした」

「いらっしゃらぬわけでございますね」

と、静子は念を押した。ひとのことばに念を押す習慣は静子にはなかったのだが、このときだけはいま一度反応を確かめたかった。

「行かぬ」

希典は顔をあげてそう言い、この場合には不必要なほどにつよい視線で静子の顔を見つめた。まだおまえは覚《さと》らぬのかといっているようであり、念を押すことをたしなめているだけのようでもあった。静子は迷った。

「では、あすはどういうご予定でございます」

あすはもう宮中には殯宮がない。希典の日課がなくなるのである。希典はこの質問には答えなかった。あすはすでにかれはこの世に存在していない。

夕刻になった。

大葬の葬列が宮城を出発するのは夜の八時である。希典はそれ以前の午後六時には参内しなければならない。静子は別な意図もあって二階にあがり、廊下にすわり、「もうお時間でございますのに。お加減でもおわるいのでございますか」とふすまごしに声をかけた。希典の声が、ふすま越しにもどってきた。

「わしは参内せぬ。察していようが、わしにはせねばならぬことがある」

静子は動悸をおさえ、ふすまをあけようとした。しかし鍵がかかっていた。

「あとで、鍵をはずしておく」

と、希典はいった。あとで来い、という意味であろう。さらに希典はいった。書生、女中などはみなを御大葬の拝観に出かけさせよ、仕事などは差しおかせ、はやばやと屋敷を出させよ、そのように命じよ、といった。

やがて階下の台所で書生、女中たちは夕食をすませたが、主人夫妻が出かけぬため自分らが出かけることを遠慮した。静子はやかましくそれをせきたてた。女中たちは出渋っていたが、静子はその最後の二人を出してしまうと、二階の希典の部屋へゆくべく、階段をのぼった。静子の服装は、大葬のための略式の喪装であった。略式とはいえ、橡色《つるばみいろ》麻の小袿《こうちぎ》をつけ、柑子《こうじ》色の袴をはき、白色麻衣、その下に白木綿の襦袢を二枚かさねている。

静子は、希典の部屋に入った。

部屋は、八畳二室である。かれがそうしたらしく、あいだのふすまがはずされていた。

希典は、軍服のままで端座し、かたわらに軍刀を横たえている。

東側に、窓がある。その窓の下に小机がおかれ、小机は白布で覆われており、そこに先帝の写真がおかれ、榊、神酒《みき》徳利一対が供えられていることは、ふだんのままであった。しかしその小机には別なものが置かれていた。書類数点、それに封筒一点であり、封筒に遺言状と墨書されているのをみたとき、静子はすべてを察せざるをえなかった。

が、静子は自分でも意外なほど取り乱さなかった。覚悟というより、この情景は彼女の想像のなかで何度か明滅してきたところのものであったし、それが的中したというよりその想像したものがいま復習されているといったような実感だったであろう。

「察してのとおりだ」

と、希典はいった。「自分の心事についてはすべてわかってくれていることと思う。自分は死ぬ。死後のことは遺言状および遺書にある。ところでいま、何時になる」

「午後八時十五分前でございます」

「とすれば」

希典はいった。

「もうすぐ、そう午後八時に御霊柩が宮城を御出ましになる。号砲が鳴る。そのときに自分は自決する」

あと、十五分しかない。静子は、そのことを冷静にきいた。なぜならば彼女はすぐその場を立ち、その足で部屋を出、階下へ降りた。希典が葡萄酒をもってくるようにと命じたからであった。静子は階下へおり、戸棚から葡萄酒をとりだし、たまたまそこにいた姉馬場サダ子の孫英子とふだんとかわりのない会話をかわしている。馬場サダ子もそのあたりにいたが、静子の様子に異常さをみとめなかった。

静子は、二階の希典の部屋にもどった。希典はその葡萄酒を静子に注いでやった。別盃なのであろう。

これ以後のこの場の情景については、想像をめぐらせる以外にのぞきようがない。静子のこの異様なほどの冷静さは、自分も生きていないというところから出ているのであろう。希典の死後、静子はいつ死ぬかはまだにわかのことでもあり、決めるに至っていなかったが、しかし死ぬことについてはこの情景のなかでは覚悟がすわらざるをえないであろう。というより、このような事態はずっと以前から宿命づけられていたようにも彼女はおもえたにちがいない。彼女は乃木家に嫁《き》て以来、自分のみた夢を、目がさめるとすぐ覚えに書きとめるのがくせであった。幸福な夢はすくなく、ほとんどの夢が凶夢であるかそれに近く、そのいくつかの夢の情景は人にも語ったし、いまでもありありとおぼえている。そのなかには自分の死ぬ夢もあり、希典の死ぬ夢もあった。それらの夢がいま彼女にすれば現実《うつつ》の時間のなかでうごいているにすぎないようにもおもわれたであろう。とにかくも彼女も死なねばならない。その時期は未定であった。当然、家財その他を整理したあとということになるであろう。

彼女はこの別盃を汲みかわしているとき、自分も生きていない、いずれおあとを追って死ぬ、と言ったにちがいない。

それを希典がきいたときに、事態がかわった。それまで希典は静子を道連れにするつもりはなかった。そのことは昨夜書いた遺言状でもあきらかであろう。遺言状のあてなのなかに静子を含めているし、その内容には静子の余生の住居のことまで触れておいた。希典にすればいかに妻であるとはいえ、その生命のことまでは強制しがたかったにちがいない。が、いまはそのことが一変した。静子はあとで死ぬという。このことで希典には今生《こんじょう》における懸念がことごとくなくなった。かれは先々月、先帝の死とともに死を決意したあとも静子のことが気がかりであった。二児を非業に喪い、さらに夫を非業に喪うというほどの打撃をこの静子にあたえたくなかったし、その老後の寂寥をおもうと、むしろ死を選ばせたほうがいいともおもっていた。このことは希典の論理であり、希典の論理はつねにそうであった。この論理が希典において正しい以上、かれはいま一歩を進めることができた。

「それならばいっそ、いまわしと共に死ねばどうか」

希典の脳裏にはすでに順が浮かんだ。自分よりもむしろ静子こそさきに死ぬほうがいい。なぜならば静子が女である以上、自害の仕損じがあるかもしれず、その場合は自分がその完結へ介添えしてやることができる。さらに静子のいうように後日死ぬ、というのはよくない。それこそ自殺を仕ぞこねて恥をのこすかもしれず、さらにひとびとの制止や、ひとびとの監視をうけて思わぬ苦しみをあじわわねばならぬかもしれない。

が、このことには静子は驚いた。あとわずか十五分で死ぬということであった。

「整理が」

と静子はいったであろう。

――家財の整理など、他の者がする。

と、希典はいったであろう。しかし家財の整理はそうであっても、婦人のことであり、身のまわりにはさまざまなことがある。たとえば家のなかの鍵のかくし場所などもひとびとに言い遺しておかねばならず、身辺のもの物品書類なども焼くべきものは焼かねばならぬであろう。さらにたとえば辞世の歌などもそうであり、いまから十五分のあいだにそれをつくれといわれても作れるものではない。しかしこの辞世の歌については、結局は静子はみごとなものを遺した。「いでまして帰ります日のなしと聞く　今日のみゆきにあふぞ悲しき」というものであった。いかにも希典の調べの癖に似ている。希典がいくつかの辞世の草稿をもっていたとすれば、それを静子のために譲ったかとおもわれるが、しかしあるいはそうでなく、静子が即座につくったかもしれなかった。それがいずれであるにせよ、そのことは死のための瑣末な形式にすぎないであろう。

ただ、静子は当惑した。当惑のあまり叫んだ声が、階下にまできこえた。

――今夜だけは。

という静子のみじかい叫びが階上からふってきて、階下にいた彼女の次姉馬場サダ子らの息を詰めさせた。そのあとすぐ癇《かん》の籠った声が二三きこえたが意味はききとれず、すぐ静かになった。

そのあと数分経過した。階下のひとびとは沈黙をつづけた。階上でふたたび気配がきこえた。重い石を畳の上におとしたような、そういう響きであった。馬場サダ子は、人の死を直感した。サダ子と下婢ひとりが階段をのぼった。鍵穴からサダ子が叫び、希典の名をよび、静子に罪があるなら自分が幾重にも詫びます、と泣きついいった。血のにおいが廊下にまで流れていた。やがて希典の声が室内からきこえ、意味はさだかではなかったが、御免なさい、といったようであった。

警視庁警察医による死体検案始末書から推察すれば、静子はその死のために短刀を用い、最初三度その胸を刺したようであった。一度は胸骨に達し、それが遮った。二度目は右肺にまで刺入したが、これでも死にきれなかったであろう。三度目の右肋骨弓《ろっこつきゅう》付近の傷はすでに力がつきはじめていたのかよほど浅かった。希典が手伝わざるをえなかったであろう。状況を想像すれば希典は畳の上に、短刀をコブシをもって逆に植え、それへ静子の体をかぶせ、切尖《きっさき》を左胸部にあてて力をくわえた。これが致命傷になった。刃は心臓右室をつらぬき、しかも背の骨にあたって短刀の切尖が虧《か》けていた。

希典は静子の姿をつくろい、そのあと軍服のボタンをはずし、腹をくつろげた。軍刀を抜き、刃の一部を紙で包み、逆に擬し、やがて左腹に突き立て、臍《へそ》のやや上方を経て右へひきまわし、いったんその刃を抜き、第一創と交叉するよう十字に切りさげ、さらにそれを右上方へはねあげた。作法でいう十文字腹であった。しかしこれのみでは死ねず、本来ならば絶命のために介錯が必要であった。希典はそれを独力でやらねばならなかった。かれは軍服のボタンをことごとくかけて服装をつくろったあと、軍刀のつかを畳の上にあて、刃は両手でもってささえ、上体を倒すことによって咽喉をつらぬき、左頸動脈と気管を切断することによってその死を一瞬で完結させている。

希典とその妻の殉死の報は、それから一時間後には、大葬拝観のために堵列《とれつ》している群衆のあいだにひろがったらしい。すぐ世界にひろがった。希典はすでに旅順要塞の攻略者としてこの当時の日本人としては他国に対する知名度がもっとも高く、その死は文明世界のほとんどの国の新聞に掲載された。その論評のことごとくがこの日本の貴族の演じた中世的な死の様式におどろきつつも、そのほとんどが激しく賞讃した。すでにヨーロッパにおいてはどの国でも王室の尊厳と貴族の権威がうしなわれつつあり、その典雅で剛健な秩序を愛惜する者はこの希典の死を世界史的な感覚でとらえ、奇蹟の現象として感動した。かれの思想の過去の系譜のなかにあるこの稿の冒頭のひとびとが、すべてその行動よりもその劇的な死によってその同時代人や後世に思想的衝撃をあたえたようにかれの死もその劇的な時宜を得た。

生前の希典は、最後まで不遇感をもちつづけていたらしい。かれはよく座談のなかで電車の座席のはなしをした。

電車に乗っていると、すわろうとおもって、そのつもりで鵜《う》の目鷹の目で座席をねらって入ってくる。ところがそういう者はすわれないで、ふらりと入ってきた者が席をとってしまう。これが世の中の運不運というものだ。

希典自身、自分の一生を暗い不遇なものとして感じていたらしいが、これはどうであろう。

解説

今日のみゆきにあふぞ悲しき
——乃木静子の〝ほっとした覚悟〟

山内昌之

私の前に一枚の写真がある。それは、写っている男女の正体を知らず撮影の事情にも疎《うと》い人にとっては、納戸の行李《こうり》から偶然のいたずらで見つかった古めかしい写真にすぎない。写真を眺めるとすぐ目に入るのは男女ふたりのちぐはぐな挙措である。男は陸軍大将の礼服を着用し勲章も本綬を佩用《はいよう》しているのに、テーブルに向かって新聞を読むとはどうしたことなのか。男の右後方に立っている女は、宮中儀礼の第一種喪装という格式ばった衣装を着ている。一見するとこわばった彼女の表情は、坐っている男のポーズをまったく無視し気儘《きまま》に自分の想念に浸っているかのようだ。男は六十四歳、女は五十四歳である。

これは乃木希典が妻静子と一緒にとる最後の写真となった。明治天皇大葬の日、朝のことである。私はこの写真を最初に見た時から名状しがたい違和感に襲われてきた。その由来は、静子の和式礼装と洋式応接室との奇妙な不調和や、乃木の読む新聞に花王石鹸の大きな広告が載っている可笑《おか》しさといった次元のことではない。古色蒼然としたセピア色の写真をじっと見ていると、乃木の表情が常に変わらず、将軍の一日の始まりを示す朝の光景がたちどころに浮かび上がってくるのに、静子の場合はどこか違うからだ。私は長いこと、静子の表情が何かを怨《うら》みながら、鬱然として憂いに閉ざされたものと理解していた。おそらく、夫の自決に付き合わされる〝不条理〟、勝典《かつすけ》と保典《やすすけ》ふたりの息子を失った母の悲しみ、武士や軍人の美学を過剰に意識した夫への鬱屈した不満などがないまぜになって、静子の複雑な表情がつくられたと思いこんでいた。

司馬遼太郎は、『殉死』の文中でこの写真が明治天皇大葬の日の朝八時頃にとられたと記している。夫婦でとったのは希典の希望だったらしい。「ケフノ写真ハ自然ナル姿勢ガヨカラウ」と希典が述べたと司馬は書いた。このために写真のようなポーズが生まれたというのだ。静子の立ち位置を決めたのが本人なのか、それとも希典なのか、司馬は何も語らない。また、静子の不思議な表情や心の裡《うち》についても、『殉死』を書いた司馬はそれとおぼしき憶測もしていない。いつも巧みに人物を描写する司馬らしくもなく、乃木希典に触れるときはいつも、どこか醒めた感情で距離を置いているように思える。そうした冷静な判断が静子にも及んでいるのかもしれない。それにしても、このちぐはぐな写真の構図に司馬があえて言及しなかったのは何故だろうか。

軍人乃木希典が西南戦争で伝説化した連隊旗の喪失や日露戦争で多数の死傷者を出した指揮官としての責任をとる行為は、若い現代人のドライな想像力でも理解できなくもない。また、司馬遼太郎が「郎党」とまで呼んだ天皇に対する希典の忠誠心を突きつめると、畢竟《ひっきょう》殉死という結末が待ち構えているのもさほど不自然ではない。しかし、静子までが何故に希典とともに死なねばならなかったのか。司馬は、もともと静子を残して自刃するつもりだった希典が、後から死ぬと静子が語った時に述べた言葉を想像している。「それならばいっそ、いまわしと共に死ねばどうか」と。

司馬は、希典のこの言葉が発せられてから十五分後に死出の旅を共にする静子の心の動揺とそれが次第に昇華される様を手際よく描いている。しかし、十五分という短時間で夫と一緒に死ぬ覚悟をした静子には、最後まで旅路を共にできる妻としての満足感の横溢《おういつ》、勝典と保典ふたりに先立たれ夫まで見送る寂寥《せきりよう》感からの解放といった気分もあったのではないか。もっと現代人に分かりやすい感覚でいえば、一緒に死のうという希典の素朴ながら決意に満ちた言葉に明治人なりの無骨な〝愛情〟あるいは信頼を感じたのかもしれない。そうでなければ、死の覚悟を固め始めた静子の表情に漂う不思議な静寂が、希典の泰然自若とした日常風の光景にマッチするはずがない。

実際に、今度この原稿を書くために乃木神社の宝物殿を訪れ、これまでも何度となく見てきたふたりの写真をじっくりと眺めてみた。念のためにである。すこし時間をかけて見つめると、静子の表情が思っていたよりもなごやかなことに驚いた。憂愁や煩悶で深く窪んでいると思っていた眼窩《がんか》もさほどの凹みではない。むしろ、お七と名乗っていた少女時代の美貌の面影がしっかり残っている。乃木希典と結婚する以前、女学生だった静子は鼻筋も通り二重瞼の愛くるしい娘だったにちがいない。もちろん五十四歳の女性として見れば、あたりを払うほど格別の美女というわけではない。

しかし、静子のきりっとした表情を特徴づけるのは、少女期の可愛らしさにつながる素直さと、聡明そうな意思力のバランスがとれた美しさである。やや過褒《かほう》かもしれないが瓜実《うりざね》顔の美人といえなくもない。薩摩藩士の家に生まれた南国育ちということもあって、やや色黒に見えるのが難点といえば難点だろうか。一緒に写っている長州人の夫のほうが色白に見えるほどだ。しかし、当世風の基準で言えば、静子はまぎれもなく小顔である。そして小柄とはいえ身丈《みたけ》のバランスもよくとれている。しかし、ガラスを通して見る宝物殿の写真だけでは、どうしても静子の表情の微細な動きが分からないのはもどかしい。

もう少し静子の表情が分からないものだろうか、とフト考え、宝物殿を出て社務所に立ち寄った。すると神職に聞くまでもなく、思いがけず件《くだん》の写真を含めたセットを見つけた。そこで早速に買い求め、急いで彼女の表情を仔細に探ってみたのである。すると改めて分かったのは、彼女の表情に暗さがなく、死への諦念さえ読み取れなかったことだ。口元には心なしか微笑さえ浮かんでいるように感じられた。そして、静子の視線が不思議な方向を見ているのも分かる。

彼女は右前方を見ているのだ。少なくとも、眦《まなじり》を決して、正面をひたと見据えるといったポーズではまったくない。かといって、希典からそっぽを向いているといった印象でもない。それはさながら右前方にある何かを見ている風情なのである。暫く見ていると、それはモノではなくヒトではないかという気がしてきた。静子はそこにいる誰かをじっと見ているのではないか、と。

ひとつの疑問の氷解は、別の謎への出発点ともなる。いったい静子は、希典と一緒に写真をとる瞬間に誰を見ていたのだろうか。その答は格別にむずかしいものではない。それは満州の戦場で死なせた勝典と保典のふたり、つまり両典いがいに考えられない。両典があたかもそこにいるがごとく見つめる視線にほかならない。もっと正確にいえば、視線の先にいるはずだと信じてかれらを捜し求める母の眼差しなのである。もちろん、写真をとった洋式応接室にもはや現《うつ》し身の両典がいるはずもない。また魂魄《こんぱく》や霊魂が家に留まり、幽《かす》かに両典と対面したと信じている顔でもない。静子の視線のずっと先には、これから希典と出かける黄泉《よみ》で待つふたりの息子が想像とともに見えていたにちがいない。

そうでなければ、現世への思いを断ち切るように正面から視線をそむけた意味が分からなくなる。希典との時間差はあっても死を覚悟していた静子の表情は、一緒に写真をとる動作で希典の死をほとんど確信した結果、〝ほっとした覚悟〟ともいうべき緊張感の弛緩が生んだものではないか。心はふたりの息子がいる彼方の世界に向いているという気持ちが、静子に不思議な表情をさせたといってもよい。

静子はもとより自分の決心と判断によって死を選んだのである。もちろん、平成の現代人の感覚では、希典に一緒の死を強制されたと解釈するなら、静子の死を残酷だと考える立場もあるだろう。現代に生きる私としても、もし二十一世紀にこの種の事件が起きたなら、静子のような立場に同情するかもしれない。しかし、歴史をその起きた時代の感覚でなく後世の価値観でとらえる見方は、傲慢や後知恵とまでは言わなくても、歴史の真理から大きく離れてしまう危険を覚悟しなくてはならない。英語でいえば「ヴェラシティ」(veracity)からずれてしまうのである。静子は希典に引きずられたのでなく、江戸時代の武家方の気風を引きずった明治の軍人の妻として、自分の運命を受け入れたと考えるのが自然であろう。

しかし静子は、いまわの際《きわ》まで軍人の妻である身と、ふたりの男子の母である身との間で心が引き裂かれていた。司馬遼太郎は『殉死』で、子どもを軍人にしたくなかった静子の希典へのそこはかとない抵抗をさりげなく書いている。香川県善通寺の師団に出かけて静子が希典に会おうとした時のことだ。長男勝典は入ったばかりの陸軍士官学校になじめず退校したかったらしい。母としては当然息子の好きなようにさせたかった。というよりも子どもの適性を見抜いて、好きな道を選ばせようとしたのだろう。師団長の希典は、大晦日にわざわざ四国までやってきた静子に会おうとしなかったばかりか、許可なく軍人の任地に婦女子がやってきた所作が許せなかったのである。それでも静子は粘り強く希典が会うまで辛抱した。とはいえ、その後も勝典が軍人であり続けたのは、希典の意向が強く作用したのだろう。静子は目的を果たせなかったことになる。加えて、次男の保典も軍人を望まず、やはり不承不承その道に入ったというから、乃木家には武よりも文の血が強かったのかもしれない。希典その人も詩才にあふれ、旅順攻略で希典を窮地から救う児玉源太郎がかつて「乃木はいくさが下手だ」とからかったこともある。職業軍人としては他を圧する名将だったというわけではない。

明治をつくった女性の古典的な世界観として、夫への献身と息子たちへの無垢の愛に引き裂かれた静子の心に生まれた葛藤や分裂の性質は、現代人の物差しでは推し量るすべもない。同じような内面の分裂は、第三軍司令官として旅順要塞攻撃で多数の若者を戦死させた夫を非難する声の高まりに居ても立ってもいられず三等車に乗った時にも起きていたにちがいない。伊勢神宮で身分を隠して戦勝を祈願した際に、自分と同じ境遇の全国の母に対して素直に責任を感じなければ静子らしくない。二子つまり両典だけでなく、夫婦ふたりの命を差し出すとまで神に誓ったという説が正しいとすれば、この時すでに自分の死を決意していたのかもしれない。

いずれにせよ、静子が希典に無理やり死出の旅の供をさせられたという理屈などは成り立たない。司馬は、十五分間のうちに一緒に死ぬことを決心した静子の辞世を結局は「みごとなものを遺した」と高く評価している。よく知られているように、「いでまして帰ります日のなしと聞く　今日のみゆきにあふぞ悲しき」というものであった。

司馬は、希典が自分の一生を暗く不遇なものとして感じていたらしい、と書いている。「これはどうであろう」と司馬はこの見方に懐疑的であるが、その理由を述べていない。しかし、希典には人生の節目で必ず助けの手を差し伸べてくれた人びとがいた。「どこかひとの庇護意識を刺激するものがあるのであろう」と司馬は面白いことを言っている。私も賛成である。なかでも希典の一生は三人の温かい個性と親切な助力によって支えられた。連隊旗喪失事件が起きてから何度も死を覚悟した乃木希典を救った明治天皇と、日露戦争で死地を共にした児玉源太郎の名はすぐ浮かぶであろう。そしてもう一人、乃木静子を忘れてはならない。驚くほど素朴な形式美へのこだわり、他人の目を絶えず意識した厳格な所作、朝から晩までは無論のこと家庭で寝るときも軍服で通したリゴリズム。これらは普通人にとっては煩わしい所業であったが、静子にとっては平仄《ひょうそく》を呑み込めば訳もないほど御しやすい振舞いなのであった。彼女の感情を、現代人なら一種の〝母性愛〟と表現しても完全に間違ったことにはなるまい。

　やや話は飛躍するが、第二次大戦の敗北と無条件降伏によって少なからぬ軍人が自決をとげた。乃木希典の事例とはまったく違う。しかし、静子と同じように夫とともに死を選んだ女性もいた。杉山元《はじめ》・元帥の妻啓子は一際目立つ存在である。啓子の偉さは、「グズ元」とか「便所の戸」とあだ名され、優柔不断を絵に描いたような杉山に「あなた、お覚悟を」とばかりに迫って、多数の日本人を死なせた責任をとらせたことであった。司令部で〝ピストルのタマが出ないのだが〟と最後までぐずついた夫が死ぬと、啓子夫人は気丈にもその絶息を確認してから自裁した。杉山啓子は、陸軍大臣、参謀総長、教育総監と陸軍三長官の職をすべて経験した杉山の名誉を最後の瞬間に辛うじて救い、夫の名をかなりの諧謔《かいぎゃく》と多少の寛容をこめて後世の記憶に残した〝功労者〟であろう。男がどのような女を妻として迎えるかは偶然かもしれない。しかし、聡明な女性を選択した人生の帰結は、どこか劇的な必然があったかのような印象を時として与えるのだ。

　乃木希典は当人が考えていたほど不遇な人間では決してなかった。希典の自決はそれだけでも大きなドラマであったが、彼だけの死なら神話の領域には入らなかったかもしれない。そこに大きな悲劇が歴史のドラマとして成立したのは、静子が一緒に自裁したからである。ふたりの葬儀の日、希典の霊柩から三十歩ほど離れて進んだ静子の柩には、日本人だけでなく外国の夫人らも瞼が赤くなるまで泣いた。
希典は静子の存在と死によって何倍も大きくなって歴史にその名を残すことになった。希典はもって瞑すべきであろう。希典と静子が人為的に演出効果を期待したとは考えられない。ふたりはあくまでも自分の心の動きに従って素直に行動した。見る人にも素直な心があり、ふたりの行動を素直に眺めるなら、素直に感動するというそれだけのことなのである。
死の直前に、静子と最後の言葉を交わした近親の女性は、彼女の表情が「晴々しく麗しく神々しかった」と伝えている。その片鱗は写真の謎めいた視線と口元の独特な微笑を見れば納得できるであろう。

（歴史学者）

二〇〇九年五月三十日

本書は一九七八年に刊行された文庫の新装版です

文春文庫

殉《じゅん》死《し》

定価はカバーに表示してあります

2009年8月10日　新装版第1刷
2019年6月25日　　　　第10刷

著　者　司《し》馬《ば》遼《りょう》太《た》郎《ろう》
発行者　花田朋子
発行所　株式会社　文藝春秋

東京都千代田区紀尾井町 3-23　〒102-8008
TEL　03・3265・1211(代)
文藝春秋ホームページ　http://www.bunshun.co.jp

落丁、乱丁本は、お手数ですが小社製作部宛お送り下さい。送料小社負担でお取替致します。

印刷・凸版印刷　製本・加藤製本　Printed in Japan
ISBN978-4-16-766334-6

「司馬遼太郎記念館」への招待

司馬遼太郎記念館は自宅と隣接地に建てられた安藤忠雄氏設計の建物で構成されている。広さは、約2300平方メートル。2001年11月に開館した。

数々の作品が生まれた自宅の書斎、四季の変化を見せる雑木林風の自宅の庭、高さ11メートル、地下1階から地上2階までの三層吹き抜けの壁面に、資料本や自著本など2万余冊が収納されている大書架、……などから一人の作家の精神を感じ取っていただく構成になっている。展示中心の見る記念館というより、感じる記念館ということを意図した。この空間で、わずかでもいい、ゆとりの時間をもっていただき、来館者ご自身が思い思いにしばし考える時間をもっていただきたい、という願いを込めている。　（館長　上村洋行）

利用案内

所在地　大阪府東大阪市下小阪3丁目11番18号　〒577-0803
TEL　06-6726-3860，06-6726-3859（友の会）
HP　http://www.shibazaidan.or.jp
開館時間　10：00～17：00（入館受付は16：30まで）
休館日　毎週月曜日（祝日・振替休日の場合は翌日が休館）
特別資料整理期間（9/1～10）、年末・年始（12/28～1/4）
※その他臨時に休館することがあります。

入館料

	一般	団体
大人	500円	400円
高・中学生	300円	240円
小学生	200円	160円

※団体は20名以上
※障害者手帳を持参の方は無料

アクセス　近鉄奈良線「河内小阪駅」下車、徒歩12分。「八戸ノ里駅」下車、徒歩8分。
Ⓟ5台　大型バスは近くに無料一時駐車場あり。但し事前にご連絡ください。

記念館友の会　ご案内

友の会は司馬作品を愛し、記念館を支えてくださる会員の皆さんとのコミュニケーションの場です。会員になると、会誌「遼」（年4回発行）をお届けします。また、講演会、交流会、ツアーなど、館の行事に会員価格で参加できるなどの特典があります。

年会費　一般会員3000円　サポート会員1万円　企業サポート会員5万円
お申し込み、お問い合わせは友の会事務局まで
TEL 06-6726-3859　FAX 06-6726-3856